Davis /2/97

LA YEGUA DE LA NOCHE

JOAQUÍN MORTIZ • MÉXICO

CUARTO CRECIENTE

JOAQUÍN MORTIZ • MÉXICO

MARILÚ PANDO

La yegua
de la noche

Primera edición, abril de 1993
© Marilú Pando, 1993
D.R. © Editorial Joaquín Mortiz, S.A. de C.V.
Grupo Editorial Planeta
Insurgentes Sur 1162-3o., Col. del Valle
Deleg. Benito Juárez, 03100, D. F.

ISBN 968-27-0571-1

Portada: Alberto Gironella,
"Me encontré con la yegua de la noche" (1992)
Fotografía: Marco Antonio Pacheco

De Arturos están formados los
silencios que tejen mis palabras.

Doy mi corazón a tres hombres. Al que me enseñó la voraz, indómita pasión por el arte. Su íntimo y solitario comando sobre el artista. Su ley ineludible. La entrega. Al que me enseñó a leer el canto de las palabras, su luminosa genealogía, la belleza inigualable del buen equilibrio de una pluma, de su vuelo que es simiente del más precioso alimento terrenal. Al que me enseñó a escribir con los cinco sentidos, a diluirme inundando los laberintos interiores de los personajes que me imponen su posesión, que me van inventando.

La yegua de la noche duerme a su lado. Al de Alberto Gironella, al de Germán Dehesa, al de Agustín Monsreal. Les cuenta cuentos, se desvela y con ellos sueña.

EL COCKTAIL MARILÚ

En el despacho que parece tranquilo de licores y cock-
tails se abre de pronto la falsa biblioteca, que es un
bar...

(Ramón Gómez de la Serna)

Por consejo de Robert y Richard Burton un "caballo" de mezcal de Malcolm Lowry, como antídoto para la melancolía. Y unas gotas del niño Fidencio según recomienda Martín Luis Guzmán. Añada una medida de John Donne 1665.

Escancie una copa de champagne de la *Veuve Clicquot* por indicaciones de Marcel Proust.

Flaubert de acuerdo con Buñuel recomienda, por su poder afrodisiaco, unas lágrimas de cocodrilo de *Chartreuse* amarillo. Agítese todo esto muy bien, sírvaselo en un vaso *Old fashion*, reclínese en el diván de Freud, beba un sorbo y disfrute la lectura de este libro.

A. GIRONELLA

Llegamos ahora a la palabra más sabia y ambigua, el nombre inglés de la pesadilla: the nightmare, *que significa para nosotros "la yegua de la noche". Shakespeare la entendió así. Hay un verso suyo que dice* I met the night mare, *"me encontré con la yegua de la noche".*

JORGE LUIS BORGES

Cada año me atenazaba el horror al oír la frase de las monjas: "Recuerden, niñas, que el viernes primero tienen que ir a comprar a su pobre". Esto era una obligación por ser "niña rica", ya que el colegio de las "pobres" malvivía de nuestras caridades.

Comprando pobres, las Madres abrían ante nuestras jóvenes almas los tesoros de la virtud de la caridad. Las monjas iban formando nuestro espíritu de "niñas ricas" que, entre otros adornos, debía gozar del saber desprendernos de aquello que nos sobraba y darlo con moderación a los pobres: el exceso puede llevarlos a vicios mucho peores que el de la pobreza.

Comprar y socorrer a una pobre, cada año, nos abría la puerta del cielo.

Así, nobles, generosas, condescendientes y llenas de gracia, atravesábamos en fila-procesión las dos calles que nos separaban del colegito de las "niñas pobres".

Cada pobre costaba cincuenta pesos y no servía para nada; gracias a Dios, era nuestra propiedad sólo por un año, aunque al siguiente teníamos que comprar otra nueva.

La venta de pobres estaba muy bien organizada, se pagaba religiosamente antes de haberlas visto; luego, en el patio donde nos las juntaban, uno escogía a la mejor, o a la peor, según el gusto, y tenía una pequeña conversación privada con ella. Era conveniente, decían las monjas, preguntarle sobre sus calamidades, su familia, sus estudios y su piedad. Así que era inevitable interrogar al bulto recién adquirido, el cual, por supuesto, usaba cara, nombre y uniforme de "niña pobre". Debía de tener padres casados por la iglesia, hermanos sin vicios, buenas calificaciones y, sobre todo, una gratitud sin límite hacia las monjas, quienes, caritativamente, componían sus almitas enseñándoles las virtudes de resignación, humildad, renunciamiento y sumisión tan necesarias para las pobres. Era preciso enfatizar la importancia de su devoción a la virgen, intercesora de los humildes y desamparados, pues hubiera sido de muy mal gusto que ellas se dirigieran directamente al Señor. Había también que subrayar el valor del recato y la pulcritud, ya que se puede ser muy pobre pero limpia y decorosa.

Era nuestra obligación hablarles de "usted", con el propósito de que no fueran a olvidar la insalvable diferencia social que nos acercaba.

Cada mes, teníamos el deber de visitarla durante su hora de recreo, llevarle suéteres abatanados, vestiditos y zapatos: todo usado y modesto, no fuera a confundirse y arropar ideas de lujo y ostentación que no le correspondían y que pudieran apartarla del camino de servir en este mundo para ganarse la gloria en el otro. Sus madres y abuelas eran cocineras, recamareras o nanas en nuestras casas y ellas, las niñas, debían irse preparando para seguir su ejemplo, como buenas católicas, hacendosas y fieles. Las pobres buenas se esforzaban en cumplir su monstruosa labor con la patética esperanza de que, al final de sus días, se les considerara "como de la familia".

Aprovechando la visita, en el caso de que la pobre se estuviera superando mucho, se le podía regalar una estampita y hasta hacerle un ramillete espiritual.

Yo odiaba a todas las pobres y la visión del cielo se me empañaba con sus uniformes parduscos. La cara de bondad y conmiseración que debíamos llevar el día que las visitábamos, me provocaba violentos accesos de tos. Ser caritativo era asqueroso. Todas nuestras manos izquierdas veían lo que hacían las derechas y las derechas de las demás niñas; había una niña muy rica, más rica que todas las niñas ricas, que cada año nos escandalizaba comprando a cinco pobres: a mí, más que escándalo, me llenaba de horror puro.

Mis pobres siempre fueron de mi edad y aun mayorcitas; sin duda alguna más buenas, estudiosas y mucho más altas que yo. Mi cortísima estatura me permitía elegir a la pobre que compraba sólo viéndole fijamente el hombro derecho.

Mi experiencia en comprar pobres me fue enseñando varios trucos: preguntarle todo de golpe y, sin darle oportunidad a que respondiera, meterle un pastel en la boca —comprado ex profeso, cuanto más betún mejor—. De este modo, la pobre pobre, no tenía más remedio que atragantarse, comer y callar. Sin aviso, me despedía de su hombro derecho y salía huyendo.

Fue un martes trece el día que compré a mi terrible pobre. Me resistía a tomar mi lugar en la procesión, iba más a contrapelo que nunca, me retrasaba. Llegué de las últimas. Quedaban muy pocas todavía no vendidas. Cómo las odiaba, aun antes de saber que la de ese año iba a ser fatídica en mi vida. Cuando me di cuenta, la pobre estaba parada frente a mí, descaradamente cerca, mirando con su hombro derecho fijamente a mis ojos. Ella me había comprado. Por un momento pensé que era una buena solución, aunque no resistí por lo inusitado del hecho subir los ojos a verla.

Era verde verde verde. Su pecho plano se abultaba, como respirando de más, y se continuaba henchido como su vientre del que colgaban dos ridículas y chuecas patitas. Era un gran batracio verde, verde sapo. Le abotonaba el cuello una fláccida papadita que regurgitaba gozosa. Sus hombros bien resbalados terminaban en unos bracitos asquerosos de raídos. Vista de espaldas era más percudida, y llevaba otro animal a cuestas. Me costó trabajo reconocerlo, pues era el lomo del más inmundo perro callejero que se pueda alucinar: traía la cabeza gacha, el esqueleto encorvado y encogido hacia abajo y hacia adentro: siempre sospeché que escondía una colita sarnosa entre las patas.

No salía de mi estupor verde cuando ella, con una voz mustia, temblorosa y exigente en su miseria, me preguntó mi nombre. Era ella la que me interrogaba. Sin decir palabra, metí el pastel en la boca del batracio, jurando no volver a verla, y corrí.

Una tarde, al salir del colegio, me detuve a comprar mi chicharrón de iglesia, cuando la descubrí espiándome detrás de un árbol. Era algo repugnante.

Diario, al llegar al colegio, me topaba con sus ojos lacrimosos mirándome con adoración bajo sus inflados párpados caídos. Sentía cómo la pobre iba tomando posesión de mi vida y cómo yo, al huir, le dejaba el camino abierto.

A duras penas terminé la comunión de los nueve primeros viernes, abrí mi desvencijada mochila y encontré una estampita de la virgen con el ramillete espiritual más enorme que había visto. ¿Cómo lo metió? ¿A qué hora? Desde entonces supe que, hasta dormida, el sapote murmuraba oraciones por mí. Mi primer impulso fue romper la estampita, pero ya la fuerza de la pobre se me iba imponiendo; la dejé como olvidada en la capilla, pidiéndole a la virgen que me librara de esa cosa.

Se me acercaba despacito, pero desalmada. Una tarde, la descubrí con un trapito blanco limpiando la manija de

14

mi coche. Me subí por la otra puerta. Otra intentó con su garrita percudida, rozar el holán de mi uniforme, como se toca la orla del hábito de una santa. Salté como rana. ¡Yo como rana! Me estaba volviendo loca.

La mañana de su graduación dejó a los pies de mi coche su alterito de diplomas, de premios, su primer lugar. Sentí un alivio creyendo que era la despedida, y fui tan generosa que levanté su bultito de "esfuerzos" y los tiré al suelo del coche. Qué maravilla.

Fin de cursos, navidad.

Mi mamá nos hizo una maravillosa posada. Me quitaron la venda, no había podido romper la piñata, y ahí estaba ella, rezagada, un poco atrás de los otros niños, con su panza y su papada verde. Me pareció más inflada que nunca, aunque sólo habían pasado cuatro escasos días desde que creí haberme librado de su veneración.

Corrí con mi mamá para avisarle que se nos había metido una pobre en casa. Mi mamá enfureció y terminó su regaño diciendo que mucho le gustaría que me pareciera un poco a ella. Era demoledor. Mi pobre osó hablar con mi mamá a mis espaldas, alabarme hasta la beatitud y pedirle el favor de venir a ayudar en la posada, sobre todo por si se me ofrecía algo a mí.

El día de navidad voy encontrando a mi batracio adorador, como resbalada —su cuerpo era imposible— en la orilla de una silla del hall de mi casa. Me traía un regalo: dentro de un trapito que ella había bordado, unos dulces que también ella había hecho con sus percudidas patitas. El trapito decía "La Virgencita la bendiga". Tiré todo al excusado, que se tapó y destapó otra furia pro-batracio que casi me aniquila.

La pobre "se arrimó" por caridad a la casa, rechazando cualquier sueldo con tal de poder velar por mí. Mi berrinche fue excepcional, pero la pobre era implacable en su bondad. Por su culpa me llenaba de pecados mortales: odio, ira, soberbia. De caridad, misericordia o piedad, ni hablemos. Cómo aborrecía sus miserias y cuánto la abominaba cuando me las enseñaba sin pudor. Mi pobre, en lugar de llevarme al paraíso prometido por haberla comprado, me estaba abriendo las puertas del infierno.

Ya vivía de fijo en casa y yo, deseándola muerta, despanzurrada, me volvía más mala. Le ofrecí, íntegro, mi domingo; inútil, era inamovible. Cada día se inflaba más, como si su abnegación sin límites le fuera metiendo aire del cielo.

Esto, lo del aire del cielo, lo pude afirmar cuando descubrí el proceso inflatorio. Se tragaba jaculatorias por mí, más bien como que las suspiraba, inhalando el gozo de la salvación de mi alma, y este aire sagrado se le iba quedando adentro.

Me seguía como batracio-perro a todas partes. Siempre hacendosa pues ya había aprendido que las pobres se ven muy mal con las manos vacías. Una noche encontré una angostísima camita al lado de la mía, pero tirada en el suelo. Nunca la descubrí dormida, siempre mirándome bajo sus párpados cada vez más hinchados, con adoración deglutiva.

Mamá ya sólo le hablaba a ella, yo me iba desapareciendo. Me consumía la certeza de que me iba a tragar. Me debilitaba sintiéndome ya dentro del batracio.

Ella era buena ante todos. Dolorosa y crucificada en su perversa bondad, tuvo la visión de que sólo explotando por mí me podría salvar. Así, siempre con su trapito en las manos, me ofrendó su último mal aliento.

Explotó, típico de ella y de sus sensiblerías, el jueves santo. Explotó de rodillas, a los pies de mi cama, por supuesto mientras yo dormía y ella me contemplaba. Explotó tan fuerte, con tanta tenacidad, que desperté sobresaltada. Ella había desaparecido por completo, pero quedé yo, quedaron mi cama, las paredes, las puertas, el suelo y el techo, todos embarrados de penitencias, ayunos, sacrificios, actitos de contrición y humildad, miles de devociones, rosarios de quince misterios, vía crucis, comuniones, letanías, ángelus, confesiones y misereres. Era un espectáculo tan aterrador que yo no quería que nadie lo viera, no fuera a ocurrírseles la peregrina idea de querer canonizarla. Fui sacando trapos de su cama tirada y empecé a limpiar, a restregar, a desaparecer su exagerada bondad. En un vía crucis había una "Tercer caída de Cristo", cerca del candil, que creí nunca poder borrar. Cuando terminé, agotada, estaba amaneciendo. Me recosté moribunda, pero reconfortada por la ardua y piadosa tarea. En sus trapitos quedó guardada la santidad de mi pobre. Y yo crecía un poco en edad y otro poco en estatura. Mi alma blanca, inmaculada, irradiaba un halo luminoso que me acompañó hasta el día en que oí, ahogándome entre las peores toses, decir a la monja: "Recuerden, niñas, que el viernes primero tienen que ir a comprar a su pobre".

Al estar firmando en la delegación mi nueva licencia de manejar, lo hacía a sabiendas de que iba a arrepentirme: "Válida hasta el año 2000". Qué osadía firmar una sentencia de vida por 11 años, 9 meses y 26 días. Mi pecado de soberbia fue un reto que el destino no me iba a perdonar. Y no me equivoqué.

Subí a mi coche en el momento en que del cielo se desprendió una lluvia gris dispuesta a no abandonarme. Llegaba tarde a mi cita en San Pedro, y aún tenía que subir los seis pisos de la oscura escalera de granito verde; llegaría retrasado, entrecortado y molesto. Definitivamente no era mi día. Y no lo fue.

Desaliñado y de abierto mal humor, me arrastraba contra el último tramo de monótonos escalones, cuando serpenteó, como látigo entre mis piernas, un remolino negro; dos ojos de tornado se revolvían mientras se me untaba, húmedo y erizado, un frío con pelos. Perdí el equilibrio, dancé en caída tres o cuatro pasos con el diabólico augurio encima y fui lanzado por el sombrío cubo de la escalera. No grité ni hice el menor aspaviento, sólo sentía henchirme de amor por Nadia, como si el abrazo, hasta ahora imposible, me llevara en vilo. Nostálgico, vi acomodarse con decoro mi cuerpo en el fondo del cilíndrico cubo.

Todo había terminado; pero no para mí. Mi alma en pena estaba sentada tras el manido volante de un taxi parado frente a la entrada de un cementerio. Busqué mi cara en el espejo retrovisor: vi un lustroso sombrero de fieltro, unos lentes opacos, una raída bufanda gris y nada más.

19

Fue en ese momento cuando llegó la carroza fúnebre; detrás, tres coches de dolientes: el de mi hermano, el de Julio y el de mi cuñado. El muerto era yo. Me sentí triste por Nadia; ella, que se obstinó en ser un sueño irrealizable, ahora ya lo era para siempre. Ahora tendría que seguir viviendo, sin haber sabido vivir conmigo.

Mi entierro me tenía sin cuidado. En un instante más breve que el de mi súbito escalofrío, supe que purgaría en el taxi 552-AHJ, los 11 años, 9 meses y 26 días por los que, con la patética soberbia del hombre que ignora que sólo le quedan 58 minutos de vida, firmé mi sentencia de conductor.

Me aletargaba una inalterable tranquilidad de muerto. Comprendí que mi nuevo estuche corporal era ese viejo taxi en el que mi alma penaría hasta el año 2000.

Aún no terminaba mi sepelio cuando una mujer, devastadoramente vieja, me abordó. Su olor era desagradable y tan peculiar que no pude asemejarlo a otro. Nos pusimos en movimiento sin que yo hubiera alcanzado a oír la dirección que ella susurró. Acepté mi destino con el mismo hastío con el que conducía el 552-AHJ; él sabía todos los caminos, todas las direcciones, aunque siempre tomaba por las calles en las que estaba lloviendo.

Al caer la tarde y durante la oscuridad de la noche, era cuando teníamos trabajo. Mis ideas y las huecas palabras de los pasajeros que me invadían, entraban lentas, aburridas en mi cabeza. A pesar de mi indolencia, me extrañaba que sólo nos abordaran personas solitarias, siempre embozadas entre informes trapos y sombras. Sin importar edad o sexo, todas despedían el mismo tufillo que el de la vieja del cementerio.

En el cubo de la escalera dejé olvidadas las emociones que antes me perturbaban. Era tan total mi apatía, que jamás sufrí calor, frío o cansancio; olvidé ponerle gasolina al taxi, lo que a él le importó tan poco como a mí. De día, como no había trabajo, nos deteníamos en cualquier calle, bajo la lluvia, y dormitábamos hasta que empezaba a oscurecer. Perdí la cuenta de las semanas, de los meses, y los años empezaron a alargarse sin que hubiera nada que los separara.

El día que declinaba era siempre el mismo, idéntico, con su misma lluvia.

Agradecía que mis solitarios pasajeros nunca me pagaran la dejada, no hubiera sabido qué hacer con su dinero. Eran muchos los que sollozaban durante el trayecto, otros emitían ruidos sordos que eran como aullidos, y yo me fui acostumbrando a esa música desolada.

Una tarde bajaban telones de agua tan espesos, que dejé la dirección en manos del 552-AHJ: distraje la mirada en un angosto y largo parque por el que cruzábamos. Sufrí un colapso, mil emociones olvidadas y sobrepuestas me estrujaron, estuvimos a punto de chocar: una mujer frágil dentro de un impermeable demasiado grande, sostenía sobre su cabeza un empapado diario intentando cubrirse con él; resbalaban gotas de lluvia por su cara, que para mí tenían sabor a lágrimas y ensoñación de que aún me amaba. Esa mujer era Nadia.

Logré acercarme a ella, bajé la ventanilla, la llamé a gritos sin voz, abrí la portezuela, me pareció que se acercaba, que corría hacia mí; pero siguió de frente y subió a un coche azul. La seguí desesperado. Llovía menos. Comprendí que se dirigía a su casa. Dobló a la derecha. Sobre esa calle ya no llovía. Sollocé impotente, pidiendo clemencia por primera vez desde mi muerte, implorando lluvia que me permitiera llegar hasta ella. No llegué; en la calle de Nadia jamás llovía.

Sólo pensaba en ella. Una impaciencia de vivo se apoderó de mí. Cualquier pasajero que me obligaba a apartarme de casa de Nadia, me ponía de mal humor y me hacía odiar sus sollozos, por más mustios que éstos fueran.

Una noche me abordó una mujer; susurró la dirección del panteón donde yo había sido sepultado. Cuando bajó dejó abierta la portezuela y, en menos de un segundo, estaba sentada dentro del 552-AHJ esa vieja interminable que, años atrás, me arrancó de mi propio entierro: mi primera pasajera. Todo fue tan rápido, tan inusitado, que ni siquiera escuché la dirección que ella ceceó. Llovía más fuerte.

Me detuve. Estaba frente a casa de Nadia. La vieja desapareció dentro de la puerta por la que vi, al mismo tiempo, salir el impermeable demasiado grande. Nadia subió al taxi, estaba desdibujada. Intenté girar, abrazarla, hundirme en ella y me supe impalpable. Temblaba de amor y anhelo irrealizado.

Comprendí. Me abracé piadoso a mí mismo, llorando por primera vez. Nadia era un imposible; ya ni siquiera un sueño. Nadia había muerto.

22

LA ÚLTIMA VIRGINIDAD

Estaba tatuada sobre las plantas de los pies de un joven, que descalzo, dormitaba bajo la sombra de un árbol.

Era la mariposa más bella y perfecta que hubiera visto.

Mis ojos no se podían separar de ella, la tocaban acariciando cada uno de sus colores, viajando cada laberinto de sus diseños. La sentía viva, estremeciéndose con el beso de mi mirada. Desapareció cuando el joven se puso en pie de un salto y se alejó, ágil. Pensé que era la mariposa la que le daba tal liviandad. Su aletear palpitó en mí, alebrestando mi vida.

Lo soñé, muchas veces, volando muy alto sobre sus alas. Fui su amante en cuanto él me aceptó. Sus hábitos semejaban a los de las aves. Emigraba. Fowles se convirtió en un vertiginoso vuelo del que me aterraba caer.

Le hacía yo el amor en su cuarto, inmenso, con varias mesas de trabajo cubiertas de libros, unos cuantos bancos altos y una estrechísima cama bajo un vitral transparente, que se abría a las estrellas. Fowles no vivía conmigo. Interminables noches dejaba su cuerpo desnudo tendido a mi lado. La mariposa jugaba a esconderse. Al alba, a su regreso, ambos tiritaban húmedos de rocío.

Hubo ocasiones en que olvidaba a Fowles, en que sólo pensaba, soñaba, deseaba con avidez a su trashumante mariposa; ella me provocaba al posar su belleza en el lugar más excitante del cuerpo de Fowles, volvía enloquecedor el espacio de piel que la recibía. En noches sin luna creí haberla tocado, haber percibido su inquietante tersura y luego la descubría, quieta, posada en su muslo.

Un atardecer, la mariposa estaba lisa en su frente, la sombra de sus alas tocaba mis pensamientos. Quedé deslumbrada, oscura. La mente de Fowles, decidida, implacable, me poseyó por los ojos y engendró una luz nueva en mi mirada. Pude verlo formado de aire, su brillante mariposa liberándolo.

Él no era mío, le pertenecía del todo a su mariposa. Un día, ingrávido, me permitió besarla. Ella extendió sus alas iluminando la entrepierna de Fowles. Al tenerla en mis labios conocí cada punto, cada color, la suavidad volátil, la fuerza oculta entre sus alas. Sentía la enorme mariposa volar dentro de mi cuerpo: jugar su belleza en mi pecho, en mi corazón, subírseme a la cabeza, meterse en mis sueños, polinizar mi vientre, desfallecer mis muslos; yo devoraba con mi lengua cada punto de su luz, luz desgarradora de alumbramiento.

Aquella tarde que la mariposa me hizo suya, yo poseí a Fowles. Acostada, me preparé a recibirla. Ella se alargó, tensa, abarcándome. Temblando, sentí sus alas hundírseme entre la piel, rebuscarme; su cuerpo recto y duro incrustándoseme, tiranizándome. Las pasiones de Fowles vivían en sus alas, en su cuerpo de larva y, por primera vez, pude tocarlas.

Mi tacto la crecía, mariposa terriblemente deslumbrante. Me sabía su sierva y, en su opresión, era mi esclava. Mi cuerpo me exigía más de ella, del ansia dolorosa que me ataba a sus alas, subyugando mis senos, mis piernas, mi pubis, mis entrañas inmensamente hambrientas de nuestro placer.

Después de habernos amado, de haberla perseguido incansable sobre la piel de Fowles, desperté con el contacto muerto de una caja de laca sobre el pecho. Adentro, clavada por un fino alfiler de oro, estaba una mariposa reina, negra, con una filigrana dorada, que la cubría en complicados y perfectos dibujos.

Fowles extendió sobre una de las mesas sus agujas de tatuar, sus pigmentos. Acomodaba todo con un orden ceremonial. Hacía frío, a medias me cubrí con mi corpiño, con mi larga falda. Ahora, yo sería la divina mariposa suya.

Fowles había colgado un óleo cerca de la mesa, retrato de una joven casi niña que me observaba. Era yo viéndome a mí misma, era idéntica a Fowles. Era su madre.

Tomé la caja abierta con las dos manos y la coloqué en el centro de la mesa de tatuajes. Me quité el corpiño y le ofrecí a Fowles mi atemorizada espalda. Él me sentó sobre uno de sus altos bancos, encendió la lámpara y destapó sus pigmentos. Escogió como un cirujano varias agujas que iba colocando sobre una almohadilla de seda blanca. Yo conocía más que ver sus movimientos precisos, lentos. Ansiaba el dolor que sabía largo, interminable, por el tamaño y la belleza de las alas de mi mariposa. Fowles tocó mi corazón desnudo presionándolo, absorbiendo sus latidos con la yema de sus dedos; mientras, con la otra mano, puncionó sobre mi espalda el primer punto indeleble de mi mariposa. Mariposa mujer que viviría a mis expensas, de mi alma.

El dolor era intenso y la penetración de cada aguja lo hacía crecer, lacerante. Mis ojos estaban agotadamente secos, pero toda mi piel lloraba. Sentía mi mirada sin fondo, como la de Fowles, mientras las lágrimas de mi nuca, de mi cintura, se perdían igual que la virginidad de mi piel.

Fowles me tomó de los hombros y los inclinó hasta que mi frente casi rozó mis rodillas. Se acercó y dejó a sus labios entreabiertos posarse en el centro de mi mariposa. Le dio el beso más beso y con él, el soplo de ave. Me estremeció su nacimiento, todo eran vueltas, alas, aire. Fowles me recostó así, semidesnuda, bocabajo, en su estrecha cama. La luna me cubrió, miles de estrellas se acercaron al vitral para contemplar la divinidad inhumana de mi gran mariposa dormida. Fowles me acababa de poseer por primera vez; acababa de tomar posesión del centro de mi espalda y yo le ofrecí, desnudándolas, la intimidad de mis alas. Abierta, a su merced, las extendí sobre el suelo recostándome sobre ellas y le exigí el éxtasis. Lo vi acercarse con una lentitud irrevocable y posar su mariposa en la inocencia de mis alas.

Mi mariposa reina brillaba como el cabello negro de su madre, que ahora volaba suelto, desmadejado, sobre mi espalda. Ángel alado en sombra. Mis alas batieron en ritmo de conquista, mariposa de oro. Descendí suave sobre mi amo, al que hundí en mi cuerpo para que me fecundara. Me fundí en su polución convirtiéndonos, al acoplarlo conmigo, en una sola mariposa alucinada. Alzamos nuestro vuelo. El vitral estaba abierto, nos elevamos copulando entre las frondosas cúpulas de los árboles.

Me acerqué a buscarme frente al óleo. La niña madre llevaba el pelo anidado en alto, detenido solamente por el alfiler de oro. Lo tomé sacándolo despacio, sorprendida de su largura, de su fuerza, de su brillo, de su frialdad.

Su pelo suelto, libre del alfiler, cayó sobre su cara velándola como un crespón, mariposa de luto. Por primera vez pude ver la perfección de mis alas sobre su rostro, la belleza terrible de su negrura, la filigrana dorada que ahora me parecía formada por millones de diminutas cabezas de alfileres de oro.

Me acosté bocabajo, con mis alas abiertas, dispuestas, inmóviles: mariposa en ofrenda.

Fowles tomó el alfiler, poco a poco fue penetrándolo en el centro de mi ave. Fui suya para siempre, al entregarle la virginidad de mi muerte.

VIOLETA

A sólo 11 días antes de Navidad.
Con luna llena.

Amadísimo Felipe:
Te adoro, te adoro, te adoro; eres lo más bueno y generoso del mundo. Hasta me da pena decirlo, pero te quiero más que a mi propio padre. Tú siempre me has amado como el mejor de los maridos; me has hecho como soy, me has enseñado todo lo que sé, me has regalado todo lo que tengo. Yo sólo nací muy bonita, tal vez, no muy inteligente. Desde el día en que me diste mi anillo he sido tu muñeca; me doy cuenta de que a veces me distraigo un poquito, de que se me olvidan los nombres de nuestros amigos, de que digo tonterías, mis palabritas bobas que te hacen tanta gracia, aunque no lo quieras demostrar. Bueno, qué más da, si siempre tengo para ti mi más linda sonrisa y por eso soy tu consentida.

Ha habido cositas que sabes que he tratado de olvidar; lo tonto que te veías queriendo a Carlos como si fuera tu nieto, cuando sólo era el hijo menor de la interesada de tu hermana. Estoy convencida de que ella lo mandaba a hacerte la barba, para que tú los ayudaras, pues su marido siempre será un bueno para nada. Quedo sorprendida de mi generosidad, de haber permitido que tú le dieras regalos, de dejarlo que se encerrara contigo tantas horas en tu biblioteca, a lo mejor, hasta para hablar mal de mí, calumnias que de seguro tu hermana inventaba para tratar de separarnos; está tan amargada. Si pude aguantar todo eso, fue porque a Carlos le fascinan mis

29

ojos y siempre le gustan mis vestidos nuevos, como el de seda azul, que le encanta, y que por él me he puesto más de cuatro veces. Se me escapan las lágrimas sólo de acordarme de esos horribles ratos en que me dejaban sola. Tu muñeca se enojaba mucho, sabes, pero siempre he sido tan dócil que nunca he reclamado nada. Basta, prefiero no hablar de cosas feas, me pongo muy triste. Júrame que siempre seré tu única consentida. Júramelo, Felipe, júramelo.

Hay algo horrible que nunca podré perdonarte y es que hayas traído a Carlos a mi casa. El muy perverso me ha seducido, abusando de mi confianza y sobre todo de mi inocencia. Estoy fascinada. Esta noche me voy a ir con él. Sé que para ti yo lo soy todo, y que como eres tan bueno lo vas a entender perfectamente; además, fuiste tú quien tuvo toda la culpa por haber puesto a Carlos entre nosotros.

Y mira, para que veas que no te guardo rencor, te dejo a la Nena. Acuérdate que ni siquiera me detuve a pensar en mí misma cuando tú quisiste tener una hija, hasta me dio gusto cuando vi lo feliz que te hacía. Estoy muy preocupada por ella, pero me voy tranquila porque tú sabes cómo educarla para que se parezca a mí. Al pobre de Carlos le hiciste un daño inmenso, fuiste tan débil con él. Tienes que reconocer que si se salvó, fue gracias a que te prohibí que lo siguieras queriendo. También tienes que reconocer que abandoné a mis padres, sólo porque tú los considerabas vulgares y un poco ignorantes. ¿Te das cuenta de todo lo que me debes, Felipe? ¿Te das cuenta? Por eso no puedo permitir que quieras a nadie más que a mí, lo oyes, a nadie: ni siquiera a Carlos, ni a la Nena, ellos sólo han tratado de sacar provecho de ti, mi pobrecillo.

Carlos es maravilloso, lo adoro, y tengo que darle el

ciego apoyo que él no se atreve a pedirme. Sin mí está perdido, el infeliz, no podría ni estudiar en el Conservatorio de Londres, que no entiendo por qué le hace tantísima ilusión. ¿Te acuerdas cómo le divierte tocar el violín? Carlos es un poco desordenado y miedoso, pero está tan enamorado de tu muñeca. Casi no lo creo, me siento como antes de que te casaras conmigo, tan linda, tan jovencita, tan traviesa, él me hace correr, jugamos y me divierto como loca.

Nos vamos a Londres esta noche. En cuanto lleguemos a nuestra casita, te mando la dirección para que me escribas. Estoy segura de que sabiéndome inmensamente feliz, tu mayor preocupación será que no nos falte nada, porque sé que me idolatras. A pesar de que Carlos dice que a veces te aburro un poco y que prefieres leer tus libros o hablar con él, y eso sí, no tienes idea de cuánto me ha dolido. Ah, y otra cosita: ¿te das cuenta de que a la Nena le has empezado a hacer demasiado caso? Es absurdo, Felipe, la Miss que le conseguiste es de lo más elegante y se puede hacer por completo cargo de ella sin que tú te molestes; bueno, no hablemos más de ello, todo se va a arreglar.

Ay, me da una tristeza enorme no poder pasar Navidad contigo, sobre todo porque te compré un regalo maravilloso; no resisto la tentación de decirte lo que es: un libro de esos de Geografía, y es nuevo, pues ya vi en tu biblioteca que no hay otro igual, te va a encantar, tiene miles de fotos y de dibujos a colores, es muy grande y con letras doradas. Lo voy a poner sobre tu lado de la cama, si quieres ábrelo aunque todavía no sea Nochebuena.

Te adora, te adora. Siempre tuya. Tu muñeca,

VIOLETA

31

Martes 13, con nieve sucia. Luna en
cuarto creciente.

Mi adorado Felipe:

Estoy desesperada, tu muñeca se va a matar. Carlos me dejó. Ya quiero regresar a la casa. Sólo me traje todos los baúles con mi ropa y todas mis cosas, ni siquiera tengo dinero. No tomes a mal que no te haya mandado mi dirección para que pudieras escribirme, pero es que fui tan feliz los primeros días que se me olvidó.

Bueno, me mareé un poquito en el barco, pero fue bonito, no dejé salir a Carlos ni un momento del camarote, y él me cuidaba muy serio, estaba tan preocupado.

No me cabe en la cabeza que con todo el amor que tú le diste a Carlos, desde que era niño, él haya sido capaz de pagarte así, de abandonarme. Fíjate, en lugar de darme gusto con una linda casita, me trajo a un horrible departamento, oscuro y helado. Figúrate a tu pobre Violeta, con lo que le gustan el sol y las flores.

Tu sobrino ha llegado a tal punto que sólo por insultarte me jala alguna arruguita y se burla. Sus amigas, que el muy grosero traía al departamento, creían, las muy golfas, que yo era su mamá, y él, imagínate, se atrevía a decirme tía, y se quedaba callado haciendo un silencio espantoso, hasta que yo tenía que dar una disculpa para ir a encerrarme a mi cuarto a llorar. Yo, tu linda muñeca.

Ven por mí, no entiendo nada y tú hablas el inglés mejor que toda la familia; en cuanto llegues, vámonos, porque aquí no nos quiere nadie. Carlos es malísimo, se burla de mis vestidos y mis peinados, ¿creerás que nunca me ha querido llevar al salón de belleza y por eso me han salido algunas canitas? Siempre pensé que la pesada de tu hermana lo había educado fatal, que hizo la primera comunión demasiado grande, y mira, no me equivoqué, una gente cristiana no me podría dejar por una indecente bailarina de ballet. No, tú no te mereces una familia así. Ni modo, ya lo único que quiero es que mañana mismo vengas por mí. Ni siquiera sé si Carlos pagó la renta de este mes; pero de eso tú tienes que arrepentirte pues nunca nos mandaste dinero, no te pudiste tomar la molestia de averiguar nuestra dirección y hacer un cheque, que es tan fácil.

Y para que lo sepas todo de una vez, Carlos nunca me mandó rosas. Además es sucio y muy flojo, siempre está despeinado, siempre tocando su odioso violín. Felipe, tienes que hablar con su mamá, ella es responsable de todo este horror por el que estoy pasando. Su hijo hasta ha sido grosero conmigo; bueno, ya no, desde hace tres días que se fue con su indecente amiga, que no es ni la mitad de bonita que tu muñeca. Una noche oí que Carlos le decía, únicamente para darme celos, que le doy asco ahora que tomo un poco y me caigo por estar tan sola.

Tú sabes que me volviste muy flojita, porque jamás dejaste que yo hiciera nada. Carlos, que nunca está en casa, cuando llega se pone a gritar como histérico porque hay migajas en la cama, y todos los platos, y toda la ropa. Imagínate, él, tan poco elegante, me critica inventando que no me baño, cuando ni siquiera tengo tina, ni sales, ni burbujas, ni nadie que me lleve el té al baño, ni me ayude a vestirme; también le molesta mi bata porque dice que tiene manchitas. Ven rápido, sólo te voy a querer a ti que sí me adoras. Tu muñeca llora tanto.

Qué bueno que se fue.

Voy a bañarme y a tirar toda mi ropa, hasta los baúles, que ya los odio. Cuando llegues quiero vestidos de todos los modistos parisinos. Hoy mismo voy a planear un viaje muy bonito y muy largo, quiero comprar mil cosas nuevas para mi recámara; a propósito, tienes que buscar un buen internado para la Nena, ya es hora de que madure y de que tú te dediques en cuerpo y alma a consentir y adorar a tu muñeca.

Felipe, no puedes llegar después del lunes, ya hice muy bien las cuentas, y tú no querrías que tu niña bonita estuviera enojada contigo, ¿verdad?

Ven pronto, pronto, pronto.

Te espera con todo su amor tu linda y única,

VIOLETA

Ahora me llaman Gregorio y son muchos los que buscan sabiduría en mis palabras, pues creen que soy un Iluminado. Sin embargo, mi espíritu está insatisfecho: me abandona, se sumerge en mares profundos. He ido olvidando fragmentos de mi interminable vida, lapsos sin confín: he perdido la memoria. Todavía oigo con líquida claridad mi vida feliz de cetúceo; los hombres científicos creen que mi arcaica estirpe es la de los cetáceos, sin saber que han deformado el término y que hay importantes diferencias entre nosotros, aunque esto es irrelevante. Hoy, dentro de este Gregorio con patética apariencia humana, lo cetúceo fluye en mí como un río cristalino en el que gravito, suspendido.

Mi familia era grande, los parientes de mis familiares innumerables; viajábamos hasta 29,000 cetúceos por la vastedad de los océanos, los conocíamos mejor que a nuestras propias aletas. Mis pensamientos, ilimitados, me permitían meditar en cilíndricos jardines marinos con la tranquilidad de un monje en el claustro de su monasterio. Navegaban por los ríos agridulces noticias de los 99 mares y mi piel, en silencio, las absorbía. En mi cabeza flotaban miles de partículas de la memoria de mis ancestros. La vida de cada cetúceo era una burbuja que oxigenaba la herencia de nuestra estirpe.

De los problemas que hoy tratan de agobiarme, no existía ninguno: ni guerras ni querellas familiares; cuidábamos de los débiles y de los enfermos sin la menor ambición de ir a otro cielo. Nuestro tiempo inmemorial es de lunas ovales, de relojes de arena que escancian noches y días. Las eras que movían la geografía de los reinos marinos, iban siendo mojoneras en nuestra existencia en las que marcábamos nacimientos y ausencias.

El lenguaje cetúceo también es ilimitado, las palabras no lo entorpecen: dos o tres expulsiones de äire, dicen más que los libros en cientos de páginas. El oído es perfecto, acomoda mensajes de todos los mares; de todos sus habitantes, de huracanes, deshielos, tifones, maremotos y el contorno de su oceanografía. Dibuja un retrato fiel de nuestros espacios; de los meteoros que caen del cielo, de naves aéreas y marinas sumergidas, descansando en las profundidades del océano. Oímos dónde están miles de hermanos y si algún peligro los amenaza. Escuchamos la gran telaraña marina que teje la hermandad cetúcea.

Nací en una luminosa hondonada de poca profundidad y aguas cálidas; sembrada de jardines alucinantes de coral. Las madres, en donde estuvieran, al sentir que el tiempo era propicio, se colocaban sobre el lecho de los ríos agridulces que las llevaban acunadas hasta aquel paraíso, en el que jugábamos cientos de cetúceos recién nacidos y ellas, serenas, nos amamantaban. Retozábamos entre infinidad de peces que daban la impresión de que se desprendían de los corales como flores volátiles: cerúleas, acerinas, nilo, bermejas. Nuestro tacto las aprehendía antes y mejor que los ojos, pues la vista cetúcea es pobre y desayudada por una estorbosa visión superpuesta. Conocí todo más bien de oídas y a flor de escama.

No necesitábamos de un nombre propio: yo sabía quién era yo, así como quién era el yo de mis hermanos. Meditaba mucho, suspendido en los jardines cilíndricos; veneraba la sabiduría de nuestra cetuceidad: me remontaba hasta mis oscuros orígenes terrestres y a la inmemorial llegada a los océanos primitivos. Paseaba por la profundidad de los abismos, de las corrientes marinas, de los lagos, subiendo junto a cordilleras y volcanes; conociendo a los habitantes de cada liquidez.

A los cetúceos nos ennoblece el tamaño de nuestros cuerpos, nuestra antediluviana majestuosidad y el Don de Lenguas que sólo a nuestra casta divina le fue dado.

Quiero confesar que conocí el miedo en dos ocasiones: la primera, una noche de luna en la que me vi arrastrado por corrientes desconocidas y por fuertes remolinos que lograron distraer mis pensamientos; se levantaron tormentas de arena que nos azotaban; el fondo del océano se abrió bajo mi cola, desaparecían montañas enteras, se elevaban enormes volcanes derramando lava ardiente. Toda la oceanografía se movía. El maremoto duró varios minutos y lo que más nos hacía sufrir era el ruido que aterraba el sagrado silencio de la peceidad. Rodeado por atormentados discípulos, que buscaban mi guía, tuve tal pavor que únicamente pude orar con ellos, pues llegué a creer que era el fin de los 99 océanos. El segundo miedo lo viví en soledad: meditando, me olvidé de mí mismo hasta que temblé sobre una móvil tranquilidad; flotaba sobre el lago Averno, justo en el centro negro de su cráter, sentía las grutas y las cuevas, la gélida corriente del canal, a pesar de que viajaba a varios cetúceos de distancia de ella. Quedé paralizado. Dos de mis más fieles seguidores, cegados por su fe, nadaron hasta colocarse bajo mis costados y, como si estuviera herido, me llevaron sosteniéndome en vilo. Esta visión del Averno vive en mí y endereza mis pensamientos.

Hay otro recuerdo que guardo con pavorosa nitidez, ya que cambió para siempre mi vida: aquella inmensa ola de jade que me elevó en su cresta y me abandonó varado en una playa seca; desde ahí el mar era escandaloso, el sol abrasador y yo un cetúceo perdido. Olvidé el sentido del recuerdo, creo que fue la tristeza la que abrió un gran abismo en mi memoria. Hay eras completas, no sé cuántas, que pasaron como si no las hubiera vivido y nadie se hubiera acordado de contármelas.

Me nubla el olvido hasta que empiezo a reconocerme como un Gregorio siempre viejo. Sé que ya son más de 30 años los que llevo metido dentro de esta insignificante y estorbosa vestidura de hombre. Entre sueños y ensoñaciones fueron llegando hasta mí, como un cajón lleno de fotografías desordenadas, partes de mis vidas con las que intentaba dar forma al rompecabezas de mi memoria. Decidí evitar torpes acomodos y acepté, sin rencor, que alguien me había matado al cetúceo, dejando sólo a un Gregorio seco, olvidadizo y muy limitado. De este naufragio únicamente logró sobrevivir mi espíritu.

Mis padres secos estaban convencidos de que mi gran problema como Gregorio era la ceguera, que ellos angustiados llamaban miopía. Pusieron sobre mis ojos lentes profundos como lupas; hasta que derrotado su optimismo, me compraron un perro pastor alemán, educado para guiar a un ciego, palabra prohibida en casa, donde se traducía por "corto de vista". Desde que toqué a mi perro, lo amé y exigí que todos le llamaran por su nombre: "Melville", sólo él·y yo hablábamos en cetúceo.

Las interminables pláticas con Melville fueron ayudándome a aceptar mi triste nueva condición. Yo conocía al hombre desde aquellas vidas en las que flotaba en mi nirvana de cetúceo; me aterraron porque no saben vivir sin ruido, aprendí a alejarme de su estrepitosa presencia. Ahora que mi karma me había dado una apariencia similar a la suya, intentaba que la secuencia de las horas y de mis pensamientos fueran formando un hilo resistente que me atara al tiempo tal como ellos lo pretendían medir. Melville, a más de hablar cetúceo, tenía una memoria prodigiosa y en una de sus existencias anteriores había sido hombre, todo era más fácil para él; sus recuerdos más fieles y ordenados, aunque también se perdían en grandes lagunas de olvido. Según él, eso les ocurre a todos los inmortales. Melville me enseñó a conocer a los humanos y fue a instancia suya que me animé a acercarme a ellos. A pesar de sus enormes limitaciones son curiosos; nunca se cansan de hacer preguntas y poco a poco se les van quedando algunas ideas en la cabeza. Mi fama de Iluminado fue caminando. La desesperación de los hombres me volvió a recluir, pues eran muchos los que buscaban mis palabras, sin sospechar que yo lo único que hacía era traducir las más primarias enseñanzas cetúceas.

Al fondo del jardín, había un pabellón semicircular que rodeaba una gran fuente de piedras mohosas dando un frescor de profundidad al agua. Melville sentía una especial atracción por aquellas lámparas de gas que antes iluminaban a los barcos, fue un capricho que concedí con alegría desde mi apacible oscuridad. Los visitantes quedaban impresionados por esta iluminación, que daba un toque oriental y una sensación de incienso al pabellón. Lo inundé; elevando una mínima isla seca en su centro, unida al jardín por un angosto puente, que era como un listón grueso suspendido entre corales. En ella nos sentábamos Melville y yo sobre un tapete de musgo y no quedaba espacio para más de cuatro visitantes, en esto que llegó a convertirse en un santuario rodeado de algas, plantas y flores acuáticas. Terminábamos el día tan cansados, que requeríamos de un terrible esfuerzo para caminar hasta nuestras habitaciones. Para mis pobres padres secos era una tarea terrible contener el río de fieles que amenazaban atropellándose. Melville y yo necesitábamos de un tiempo sagrado para nuestras meditaciones y nuestros recuerdos; ya sólo recibíamos por las tardes y, en ocasiones especiales, nos mostrábamos ante la multitud arrodillada en el jardín y al terminar de orar yo les daba una metáfora marina para que se la llevaran a sus casas.

Llegó otro invierno y notamos que algo extraño ocurría en casa: mis padres secos estaban nerviosos y más indecisos que de costumbre, me parecía que habían hecho algo muy malo y trataban de ocultármelo. Una noche como todas, después de un largo baño de tina, me quedé dormido en la bañera dejando correr el agua, lo que a nadie sorprendía pues se iba volviendo un ritual.

Desperté en una cama de hospital; mis padres secos junto a la cabecera, aullaban entre sollozos: "Gregorio ya ve", "Gregorio ya ve". Yo sentí que mi cabeza iba a volar en mil pedazos por el dolor que me causaba la estridencia de aquellos gritos, estiré mi mano para tocar la apacible cabeza de Melville y encontré su sitio vacío.

Abrí dos minúsculas rendijas por las que se coló con prisa la luz árida, filosa, intolerable; cerré los párpados y me seguía hiriendo aun a través de ellos. Mis padres secos no podían contenerse hasta que los interrumpió la llegada de la eminencia, el Doctor Kagliostro. Entró sin saludar, corrió las cortinas, cubriéndome de una piadosa penumbra; examinó mis pupilas tan a oscuras, que sospeché que hubiera sido cetúceo como yo. En un susurro exclamó: "Operación. Éxito", hizo una reverencia y abandonó el cuarto.

Confabulado con mis padres secos, a espaldas nuestras, el Doctor Kagliostro, había injertado los ojos de Melville en los míos; sólo de pensarlo la piel se me escama. Mis padres, que conocían mi amor ilimitado por mi hermano Melville, convencieron a la eminencia de que no dejara las órbitas de sus ojos huecas, y pusiera en ellas mis ojos cetúceos. Cuando comprendí la monstruosidad de lo que había ocurrido, les obligué a llevarme a casa y Melville y yo nos volvimos uno. Él veía con claridad mi vida cetúcea, mientras yo trastabillaba en las imágenes estériles que sin cesar estorbaban mis pensamientos. No quería ver, pero no podía abandonar a mi amigo ciego y despreciar sus terribles ojos que él echaba tanto en falta. Me esforzaba inútilmente; nuestras cuatro miradas se hundían en la inmensidad cetúcea. Las amarras con el mundo seco se volvían más frágiles, hasta que de ellas no quedó sino el hilo necesario para nuestra sobrevivencia y la de nuestra grey. Las puertas se cerraron, mas los pastores no podían abandonar a sus desconcertadas ovejas; fueron los ojos de Melville los que mantuvieron la luz del faro encendida. Mi hermano y yo, sentados uno al lado del otro, en el centro de nuestro acuático santuario, en un silencio de diálogo y entrega, escribíamos el Libro Empapado de Metáforas Marinas.

PRECIPICIO

La atracción fue irresistible, y por ella nos casamos, sin amor, sin siquiera gustarnos físicamente.

No compartíamos ningún interés, por lo que prevalecía una constante sensación de incomodidad cuando estábamos juntos.

Víctor tenía una única, pero desaforada pasión: la cacería de venado. En su casa no había un solo cuadro, un solo adorno, nada más sus trofeos, sus cabezas disecadas de venados y bajo cada una de ellas la placa, con la fecha y el lugar donde lo había cazado. Cuando le pregunté "¿Por qué el venado?", me respondió con la impaciencia que causan las preguntas cuya respuesta es obvia: "Porque el venado tiene miedo". Aumentó mi malestar. Su estudio estaba cubierto de armarios empotrados, con puertas de vidrio y cerrados con llave. En ellos, reluciente, su perfectamente seleccionada colección de rifles. Apilados sobre la mesa, sobre el escritorio, cientos de revistas de cacería, folletos y libros de armas, tratados de la vida del venado, de su hábitat, de sus costumbres.

En un instante, Víctor desapareció de mi vista. Se esfumó. Me quedé inmóvil, la puerta de su estudio estaba abierta. Desde el sitio en el que me hallaba, veía parcialmente el hall, la entrada de la sala y los primeros peldaños de la escalera. Esperé a verlo pasar, infantilmente me imaginé que lo haría agazapado, como huyendo de mí. Los minutos corrían, mi cuerpo se tensaba. Oí sus pisadas leves, acalladas por alguna alfombra. Me pareció que provenían de alguien que camina apoyando sólo las pun-

43

tas de los pies, intentando no ser escuchado. Lo busqué, en silencio, con exagerada cautela. De pronto lo vi, erguido, altivo, inmóvil en el rellano de la escalera. Me le acerqué y lo besé.

La atracción que nos ataba se tornaba apremiante, compulsiva, inevitable. Gozamos fugazmente del encuentro de nuestros cuerpos. Era un amante intenso, hábil. Lo poseí con fiereza. Esperé algo más que no llegó. No supe si Víctor experimentaba la misma sensación de pérdida, igual desgaste. Estaba con un desconocido.

¿Cómo era Víctor? Físicamente agradable, canoso prematuro, lo que le daba una sorpresa de juventud a su rostro. Delgado, correoso, ágil, inquieto. Sus ojos nerviosos, en constante movimiento, estaban siempre alertas. No tenía familia cercana. Vivía con holgura de sus rentas. Introvertido y solitario, jamás se unió a alguna peña de cazadores. Había permanecido soltero hasta los 39 años, cuando incomprensiblemente nos casamos.

Rara vez salía de casa. Tomaba notas y notas que archivaba con un sorprendente orden y buen sistema. Aguardaba con impaciencia mal contenida la llegada del correo. Tenía establecidos, en los lugares más remotos, contactos que le avisaban si se habían visto, en los alrededores, venados cuya cacería fuera un reto importante.

Lo sorprendía en los sitios más inesperados, no sé si me seguía o intentaba huir de mí. Estos encuentros estaban preñados de temor, nos alejábamos de prisa. Víctor pasaba tardes enteras encerrado en su estudio. Supe que limpiaba sus rifles. Una madrugada, la imagen de un enorme venado me impedía conciliar el sueño. Bajé a preparar un té. Vi luz en su estudio. Entré sin tocar. Los libros, las revistas, todo a un lado; cubriendo la mesa un paño grande color camello, sobre él, con un orden quirúrgico, un rifle desarmado. A un lado: aceites, grasas, limpiametales, una serie de tubos, de franelas. Sus manos se inmovilizaron al sentirme. Más que limpiar, acariciaba su rifle. Víctor, siempre alerta, estaba trastornado. Tuve la absurda impresión de que se sentía en peligro. Su nariz se afiló, su barbilla me pareció más apretada, más pequeña, sus ojos más grandes, más fijos. Colocó con cuidado sobre la mesa la mira telescópica que tenía en la mano, se levantó y, de un solo movimiento, abrió la puerta y la cerró tras de mí. Me urgió la violenta necesidad de poseer a Víctor hasta hacerle daño. Me alarmó mi deseo, algo en mi interior se transformaba. Durante toda una semana, sin abandonar su distante cortesía, no me dirigió la palabra. Había yo violado su intimidad, su ritual en que el iniciado concentra su poder, se adueña de sus dones sobrenaturales, los vuelve una extensión de su virilidad, de su fuerza. Víctor, aquella noche, me olió a miedo.

Desde que lo conocí, una ansiedad fue permeando todas las horas que vivía alejada de él; no toleraba estar con Víctor, pero necesitaba saberlo cerca. Él, rutinariamente, tomaba la carretera e iba a internarse en un bosque situado a unos 200 kilómetros de la casa. Me avisaba que no llegaría a comer. Ni él daba ni yo pedía explicaciones. Víctor afinaba su puntería. De esas excursiones regresaba excitado, nervioso, no lo hacían feliz.

Escasamente cruzábamos diez palabras al día. Él también necesitaba tenerme cerca. Crecía la imperiosa urgencia de acecharnos, de saber que en cualquier momento podíamos observarnos de lejos, acercarnos sorpresivamente y poseernos, con la inmediata, apremiante necesidad de huir. No tolerábamos estar juntos. Dormíamos en habitaciones separadas, nuestras comidas las hacíamos a diferentes horas.

Por fin llegó la noticia: habían visto un venado de

valiosísima cornamenta en uno de los picos más escarpados del Canadá. Me horrorizaba participar en una cacería, pero no me podía separar de Víctor.

Víctor resolvió el problema. Iríamos juntos hasta el campamento, ahí nos separaríamos durante el día, él saldría a rastrear a su presa, a cazarla. Yo caminaría.

En coche escalamos un sinuoso camino lleno de obstáculos hasta llegar a un caserío, no más de diez cabañas. De ahí en adelante tendríamos que ascender a pie, entre el imponente y tupido bosque. Nos hicieron un mapa mediante el cual encontraríamos un albergue de pastores en la cima de la montaña. Víctor tenía tal prisa por partir, que escasamente escuchaba las instrucciones, desoía las advertencias de peligros, los ofrecimientos de ayuda.

Cargamos nuestros sacos. El aire filoso de la montaña despertó mi olfato; el silencio, mi oído a ruidos extranjeros: pisaba tierras ajenas, era una intrusa en los dominios del venado.

Fuimos dejando atrás el bosque. Salimos al aire libre. La luz era fría a pesar del brillo frenético del sol. Lo escarpado del terreno, lo forzado de la subida, en vez de cansarme me llenaban de una energía que hacía temblar mis músculos, que me embriagaba en festín de olores, con música de silencio. Una vuelta del sendero abrió en su inmensidad la altura en la que nos hallábamos, altura medida por el abismo que caía a nuestros pies. Supe que mi lugar estaba ahí, que el destino me obligó, me sedujo, para que acudiera puntual a la cita: al encuentro. ¿Con quién? ¿Para qué? Ya no tenía importancia. Iba yo a aprehender el sentido más íntimo de mi existencia. Como el venado, encontraría el camino, olfatearía el peligro, brincaría hasta el único lugar en el que se me esperaba.

Víctor silbó, no una melodía, sino algo muy agudo,

sin ritmo humano, llamando a su presa. Nunca lo había oído silbar, me le acerqué. Él aceleró el paso.

El refugio de pastores en el que establecimos el campamento era una rústica construcción de 4×4, con hojas esparcidas a un lado. Ahí extendimos nuestro saco de dormir. En el centro había una mesa con un tablón más bajo que hacía las veces de banca. Víctor me insistió que durmiera, el día había sido agotador. Me acosté. Esa noche, por única vez, cohabité con Víctor. Lo hice con impudicia, abusando de que no tenía donde esconderse. La falta de intimidad de nuestro albergue lo obligó a llevar a cabo el ceremonial de limpiar su rifle frente a mí. Colocó la banca de modo que me daba la espalda, pretendió que yo dormía, a pesar de saber que lo observaba con descaro. Metódico, preciso, se fue olvidando de mí. De nuevo era el amo, señor de sí mismo, mi urgencia por él se fue perdiendo. En un lento duermevela comprendí que mi enervante atracción hacia Víctor estaba ligada a su miedo, no a su fuerza.

Nunca había estado tan alto, tan sola en la montaña. Cuando desperté, Víctor ya había partido. El paisaje, aún húmedo de rocío, era espléndido. Nos hallábamos al borde de un cañón. En su lecho, el precipicio dejaba correr un bravo río, la montaña se elevaba con la misma agresión con la que se hundía. En ese punto el cañón era una trampa sin salida, el río continuaba subterráneo y el precipicio giraba, se encerraba en sí mismo.

Oí el silbido de Víctor. Precisa, metódica como él, fui al campamento, elegí un rifle, que en ese momento me pareció bellísimo, lo acaricié, lo cargué y salí tras mi presa. Caminé rodeando el borde de la encerrona del cañón. Ya del otro lado, de nuevo oí el silbido y a continuación, un disparo. Ahí estaba el venado, altivo, alerta a pocos metros más abajo que yo, en la orilla opuesta. El cazador había fallado. Bruscamente el aire cambió, me llegó de golpe el olor a miedo de Víctor. No lo podía ver, pero debía de estar muy cerca del venado.

Su miedo me embriagaba, me exacerbaba, provocaba un orgasmo en cada uno de mis sentidos. Lo descubrí. Él me vio casi en el mismo instante. Lo seguí, no permitiéndole alejarse, teniéndolo siempre a la vista. Víctor aceleraba el paso y yo, implacable, conservaba la misma distancia. Sólo nos separaba el abismo.

Víctor era un hombre erosionado por el miedo: a la vida, a la muerte, al miedo mismo. Víctor no cazaba venados, asesinaba sus propios miedos al matarlos. Cada trofeo era prueba de que se había librado de uno más. Cómo me enloquecía su miedo, mucho más que a él el del venado.

Descendí riscos al vacío. El venado me vio con indiferencia. De nuevo el silbido, y el silencio. Víctor había desaparecido. El venado y yo nos inmovilizamos, esculturas en las que la vida sólo vibraba en las aletas de la nariz. El leve movimiento de un arbusto puso otra vez en marcha los latidos de mi corazón: fuertes, acompasados, con la resonancia de un tambor. Escalé un peñasco, descubrí a Víctor. Nuestras miradas se tensaron de lado a lado como la cauda de acero de una bala. Perdió el balance, al recuperarlo, ya no apuntaba su rifle, se sostenía con ambas manos de él. Un temblor de pánico mantenía sus labios en silenciosa agitación.

Puntual en mi cita sobre aquel peñasco, supe que era ése el minuto para el cual había nacido, por el que uní mi destino al de Víctor.

Una saliente del acantilado hacía que la figura de Víctor y la del venado se sobrepusieran en mi vista. El venado, inmóvil entre los dos, se sabía acorralado, esperaba a que nosotros diéramos el primer paso.

Víctor seguía desarmado, detenido de su rifle, como el que se detiene a un sólido barandal para frenar la caída, la llamada del fondo del abismo. Imaginé, más que vi, sus nudillos blancos por la presión de las manos contra el metal. Yo no soltaba la mirada de Víctor, no le permitía esconderla ni por un instante.

Me moví muy lentamente, unos cuantos centímetros, que me acercaron aún más hacia el precipicio. Logré separar en la mira de mi rifle a Víctor del venado. El hedor a miedo, con alas de buitre, revolaba por todo el cañón. Se detuvo el aire.

Apunté. Él se irguió, abrió el pecho, elevó la cabeza; vi sin ver su perfil altivo.

Disparé. Le debía este trofeo a Víctor. Maté al miedo.

Sebastián cerró con suavidad la puerta de su departamento y entró con pasos lentos y silenciosos, lo que era ya un hábito en él.

—¿Por qué regresas tan temprano? Son apenas las 11:30. Últimamente no vuelves antes de media noche.

La voz de Olga venía del estudio, donde escribía una carta en el escritorio. La chimenea estaba encendida.

—Es para tu madre, así no podrás acusarme de que no soy cortés con ella.

—Jamás te he pedido que le escribas, lo haces porque quieres.

—Es verdad, olvidaba que tu madre es perfecta, que es incapaz de quejarse de nada.

—Voy a acostarme. Estoy muy cansado.

—No contestaste a mi pregunta. ¿Pedro salió de la ciudad? Es el único amigo que está dispuesto a desvelarse contigo cada noche.

—Fui a tomar una copa con Marina y su esposo.

—Qué raro. Él, con tantos negocios, siempre anda de viaje. Creo que Marina te ve más a ti que a él... No me cabe en la cabeza cómo puedes pasar tantas horas a su lado. Reconozco su atractivo como mujer, pero es imposible mantener una conversación entretenida con ella.

—Sería más correcto decir que no entiendes las cosas que a ella le interesan.

—Esto sí que es el colmo, tacharme de estúpida porque detesto sus absurdas esculturas y a sus vulgares amigos discutiendo de política y de libros que ninguna persona normal leería.

—Me voy a dormir, estoy muerto. Buenas noches.

La espalda encorvada de Sebastián llevaba un peso nuevo, extenuante. Había adelgazado. Sólo su mirada intensa daba a su rostro una luz febril, desequilibrada.

Con pasos demasiado fuertes, demasiado acelerados, Olga lo siguió a la recámara. Retadora, se sentó al borde de la cama. Sebastián se desvestía, ausente.

—Me molesta la forma desordenada en que ahora traes el pelo, y ese suéter que ya nunca te quitas. Cuando te conocí eras refinado, hasta elegante. Pero qué tonta, me olvidaba que es así como le gustas a Marina.

—A Marina no le gusto de ninguna forma, es mi amiga.

Su voz venía de muy lejos, se dejó caer sobre la cama. Olga, cada vez más violenta, se puso de pie para verlo de frente. Sebastián se cubrió la cara con el dorso de la mano, dando por terminada la conversación.

—Te molesta mucho oír el nombre de Marina en mis labios, ¿no es cierto?, parece que con sólo mencionarla la estuviera insultando. Marina no está enamorada de ti.

Sebastián pensó que era la primera verdad que escuchaba desde que había llegado a casa. Cerró los ojos pidiendo una tregua.

—Con tus amigos jamás te sientes cansado, eres entusiasta, hasta divertido.

—Olga, por favor, necesito descansar.

—Pues ahora mismo nos vamos a tomar una copa y otra y otra más. Va a ser muy fácil, únicamente imagínate que yo soy ella.

Temblando, salió a preparar las bebidas. Sebastián apagó la luz. Una furia negra lo iba invadiendo, le sería imposible conciliar el sueño.

Con el rostro desfigurado por una mueca de alegría, Olga entró con las bebidas y encendió, con odio, la desagradable luz del candil que colgaba en el centro de la habitación: era demasiado intensa.

De un salto, Sebastián se levantó, luchó furioso contra la bata hasta que logró ponérsela. Arrancó la copa de la mano de Olga y, a zancadas, se dirigió al estudio. Sentado en el sillón, rejuvenecido por la ira, tomó su bebida de un solo trago. Cuánto odiaba a esta mujer.

—Yo ya estoy listo para mi segunda copa. Te agradecería que fuera whisky, posiblemente ya no recuerdas que es lo que he bebido toda mi vida.

—El que pierde la memoria eres tú. La semana pasada, el alcohólico de Pedro se acabó la última botella. Ah, perdón, me olvidaba que te ofende oír verdades sobre tus amigos.

—Lo que me ofende es nuestro matrimonio.

—¿Alguna sugerencia?

—Sí, el divorcio.

—Ahora resulta que te quieres divorciar porque yo tuve la osadía de difamar a Pedro, de decir que bebe.

—Olga, creímos poder ser felices juntos, y el resultado es este infierno en el que vivimos. Creo que los dos merecemos algo mejor.

—Por ejemplo, tú a Marina.

—Sería maravilloso, pero como dijiste con gran razón hace un rato: Marina no está enamorada de mí.

¿Y Sebastián lo estaba de ella? En realidad, no lo sabía. Eran tantos y tan perturbadores los sentimientos que le provocaba. Él no había amado a nadie, y esto, lo que le hacía enloquecer por Marina, era lo que más se asemejaba al amor.

—Vámonos de vacaciones, Sebastián. Yo te adoro. Eres tú mi mundo entero. Lo que necesitamos es un cambio de aire, volver a reír. Salvar algo maravilloso: nuestro amor.

No pudo contestar. Un tormento intolerable lo punzaba; su dolor era físico. Sufría náuseas.

—Tu capricho por Marina, los consejos de Pedro, te tienen confuso. Te has convencido de que ya no me quieres. Eso no es cierto. Te lo voy a demostrar.

—Olga, no resisto vivir contigo ni un día más. Me voy esta noche.

—Las amenazas son algo nuevo. ¿O ya se las hacías a la santa de tu madre?

—Me ahorro la respuesta. Es demasiado.

—Estoy de acuerdo, fue un comentario desagradable, olvídalo. Intentemos oírnos, oír lo que el otro dice y cambiar las cosas que nos molestan.

Las largas y huesudas manos de Sebastián recibieron su rostro desesperado, como una tosca red; él presionó sus sienes en un intento de contener la rabia. Odiaba a Olga. A cada una de las cuatro letras que formaban su nombre. ¿Por qué se había casado con ella? Era una joven adecuada que lo enloqueció físicamente. Él ya no era joven, y se llegó a convencer de que lo mejor era el matrimonio. Cuando apareció Olga, hicieron el amor la noche en que se conocieron. Para ella el sexo era algo tan natural, tan fácil. A Sebastián le excitaba su disponibilidad, su impudor. Su boca exuberante lo enervaba, las aletas de su nariz temblaban, abiertas al compás de su respiración entrecortada. Se casó con ella. En los primeros meses, sin embargo, descubrió que el sexo para Olga era algo mecánico, poco importante, que lo que él pensó impudor, sensualidad, sólo ocultaba una falta total de imaginación. Olga resultó tan burda, tan primitiva, que Sebastián se sentía fatal cuando llegaban a tener relaciones. Se dio cuenta de que nunca habían hecho el amor, de que no lo harían jamás. Se acoplaban como animales. Sebastián la evitaba y, cuando cedía, se odiaba a sí mismo, después la aborrecía a ella.

—Olga, ya no hay nada que salvar. No puedo seguir viviendo contigo. Ayúdame, Olga, no me hagas las cosas más difíciles. No deseo lastimarte.

—De modo que el problema es Marina. Bueno, te propongo un trato: hazla tu amante, termina con tu capricho. No va a haber una sola reclamación. Tienes mi permiso. Cuando te aburras, te estaré esperando con los brazos abiertos.

—Olga, las cosas no funcionan así.

—Soy una ingenua, ni siquiera me pasó por la cabeza. Ya fueron amantes, tal vez lo siguen siendo.

—Para mí Marina es otra cosa. Sé que tú ni sospechas que la relación entre un hombre y una mujer pueda ser algo diferente. Te hablo de una magia, de una dimensión emocional para ti desconocida. Es inútil tratar de hacértelo comprender.

¿Lo entendía él? Era un juego del que jamás se cansaba. Marina era tan íntima, tan femenina, que a menudo pensaba que le sería imposible llegar a conocerla. Para ella, su mundo de fantasías era definitivo, la realidad algo moldeable, secundario. Marina jugaba a alterar las horas. Cuando estaban juntos no tenían edad porque no tenían pasado. Pensar en ella lo sacudió. Más que verla con el recuerdo, la sentía con toda su piel. Se le impregnaba, lúcida, caliente con su cabello recogido y rebelde entre sus dos peinetas, con sus enormes anteojos redondos de aros invisibles, sentada en el suelo, con las piernas dobladas. Y daba principio al ritual de entrega: se quitaba los lentes, los dejaba sobre la mesa, subía los brazos, tomaba las peinetas liberando su cabello que caía sobre sus hombros, enmarcando volátil su rostro. Lo peinaba con los dedos, lo acariciaba. Dejaba las peinetas al lado de los lentes. Esto sólo, despojarse de los anteojos y soltar sus cabellos, la desnudaba con una desnudez más íntima, más total que la del cuerpo. Le sonreía, lo miraba diferente, era enloquecedoramente suya. Sebastián la poseía con su respiración desacompasada, con el latir incontrolable de sus entrañas. Nunca habían hecho el amor y lo iban a hacer siempre, cualquier día. Cuánto la deseaba.

—Claro que entiendo tu relación con Marina, la que me es inexplicable es la de Marina contigo, teniendo un marido atractivo que puede darle lo que ella quiera.

—Marina no tiene nada que ver con mi decisión de esta noche. Vuelvo a repetirte que es mi amiga.

Mentira. Sebastián descubría que su vida entera estaba permeada por Marina. Lo aterraba la reacción de la joven cuando supiera que él había dejado a Olga. Lo paralizaba su irrevocable libertad. Entregarle todo a Marina y decepcionarla, como Olga cuando fue suya lo decepcionó. No estar a la altura de las fantasías de Marina como Olga no lo estuvo de las suyas. Defraudarla. Perderla.

—En fin, Marina no tiene importancia. Recuerda cómo nos reíamos de recién casados. Asegurabas haberme conocido dormida y dado un beso en la frente, beso que rompió el maleficio, y yo desperté sin memoria pues había estado dormida miles de años. Te necesito, Sebastián, estoy dispuesta a lo que sea por ti.

Era cierto lo que Olga decía. ¿Cómo pudo haberlo olvidado? Sebastián pensaba con una precisión eléctrica. Aprendía verdades que siempre habían estado ahí, ante sus ojos. En esa hora creyó conocerse a sí mismo. Era cierto, él había inventado una Olga que no existió. Fue contándose historias sobre ella, sobre los signos ocultos en sus miradas, sobre las palabras contenidas en sus silencios, sobre el enigma de sus gestos, sobre sus sueños. Historias sobre ella hasta transformarla en la única mujer amable y amada por él. Ahora sabía que Olga pudo ser como es, o de cualquier otra manera. Él la inventó. La observaba buscando en ella a la mujer con la que se había casado hacía cuatro años. Tuvo la impresión de ver a Olga por primera vez. No. Ni siquiera le atraía.

—Sí, tienes razón. Me sorprende haber olvidado tantas cosas. Soy una persona diferente a la que conociste. No puedo ni quiero vivir contigo.

—¿Qué es lo que ves en Marina?

La voz de Olga venía envuelta en algo semejante a la ternura o al abandono. Su pregunta tenía una ingenuidad infantil, su mirada una necesidad de saber. Sólo saber.

—No tiene sentido, Olga.

Y sí lo tenía. Y enorme para él. Sebastián sintió que Olga podía ver sus pensamientos con la misma claridad que él, con la misma aceptación, sin juicios. Ya no había lucha entre ellos, únicamente verdad. Era lo que siempre les había faltado. Sebastián supo que estaban preparados.

—Veo lo que vi en ti hace cuatro años.

—¿Qué veías?

—Una mujer inventada por mí.

¿Quién era Marina? ¿Por qué no podía aceptar a las mujeres tal como eran? ¿Por qué tenía que alterar sus espíritus, sus pensamientos y hasta sus rostros, buscando la ilusión de amarlas? ¿Por qué sus paraísos, al ser conquistados, resultaban sólo espejismos de dicha, en los que quedaba cautivo, en los que vivía un dolor no prometido?

—Entonces no conoces a Marina, o al menos, la conoces tan poco como a mí.

La figura de Marina se pulverizaba, desaparecía. Sebastián trataba de retener al menos su fantasía de amor por ella, pero ésta se alejaba dejando un vacío helado. Todo perdía sentido. La única verdad era huir.

—Pobre Marina, la vas a odiar tanto como me odias

a mí. La vas a rechazar con el mismo asco con el que me lanzaste fuera de tu vida. Pobre Marina, ella tampoco se merece eso.

—De nuevo tienes razón, Olga, pero Marina acaba de esfumarse. A ella ya no podré hacerle daño.

Sebastián vio su destino de solitario. Lo ahogaba la idea de quedarse solo consigo mismo, con un completo desconocido. No había escape.

Intentó capturar a Olga con su primera mirada de amor. Habló logrando que su voz brotara por encima de sus lágrimas atragantadas. Inclinó todo su cuerpo, todas sus carencias hacia ella.

—Olga, ayúdame.

—Sí, Sebastián, voy a preparar tus cosas para que partas esta misma noche.

Por aquel entonces vivía una vida radicalmente "NI": ni feliz ni desgraciado, ni casado ni divorciado, en un departamento ni grande ni pequeño, ni lujoso ni modesto, ni abandonado ni querido, al que ni sólo llegaba a dormir, ni en el que pasaba demasiadas horas a pesar de ser un adicto de hacerme compañía a mí mismo.

Cuando se fue la Lupe no dejó ni su recuerdo, pues nunca se acordaba de mí; la verdad es que mi persona es de las que uno olvida haberlas encontrado, y también, que yo no soy muy recordoso. La Lupe no dejó su recuerdo, pero sí su lupa en el armario de la sala. La lupa de la Lupe es una lupa bejariana; mide 30 centímetros de circunferencia, enmarcada por un sólido aro de bronce que se continúa en una alargada pata, mucho más ancha en su base. Sobre su plana superficie hay cráteres: unos cóncavos, otros convexos y otros sin prescripción lupar; en dos puntos la lupa se atelescopia. Todos estos accidentes la hacen hilar confusionismos, quebrar luces, trastocar figuras y agudizar variadas alucinaciones.

Una mañana, puse la lupa en el marco de la ventana ante la que estaba mi mesa de trabajo y, en cuanto me di la vuelta y me senté, la lupa de la Lupe cambió mi vida.

Desde mi sillón, la desabrida vista de la ventana se abría a un grisáceo paisaje de cemento, propiedad de "gentes" un poco acomodadas. Justo ante mis ojos se amellizaban dos recámaras idénticas, pero con vidas y costumbres totalmente distanciadas. Pertenecían a dos dúplex, forzados a compartir el muro divisorio que los separaba.

En el de la izquierda vivía, aparentemente solo, un viejo, no de edad, y extraordinariamente delgado. Nunca lo conocí bien, sólo de la cintura para arriba, parecía un faquir venido a menos, oculto dentro de su saco arrugado con un trapito deforme que se creía corbata. Jamás abrió las ventanas y menos aún la puerta que daba a su huérfana terracita. En el dúplex de al lado, a menos de dos centímetros de distancia, vivía bailoteando una gorda feliz con estridentes trapos y escotes tropicales. Su terracita siempre estaba abierta y llena de plantas, jaulas, gorriones, canarios, pericos, un loro, un gato y un radio FM estéreo que tocaba una interminable cumbia. Mientras ella zangoloteaba sus generosas carnes al ritmo de la música, el flaco de la izquierda deambulaba enjaulado de una a otra orilla de su departamento. De este curioso modo, el destino originalmente siamés de las recámaras dúplex, las iba llevando a vivir divorciadas y muy ajenas.

A mis vecinos los había visto sin verlos más de nueve años, y al sentarme frente al estorbo de cristal de la lupa, mis ojos me obligaron a observarlos, primero inclinado hacia la izquierda para ver al flaco, después tirando mi cabeza sobre la gorda de la derecha.

Cuando me cansé de doblar el cuello, quedé frente a la lupa y, azorado, vi al flaco caminar por la terraza de la gorda. Moví mis ojos muy despacio sobre la lupa, sin hacer el menor ruido, y el flaco seguía ahí. Me enderecé un poco, escalando con la vista por los cráteres de la lupa, y quedé sin aliento al ver volar a la gorda y hacer un aterrizaje perfecto encima de su vecino. Éste, para mi sorpresa, resultó tener recursos sexuales extraordinarios. Sacó otras dos cabezas y las colocó sobre tres de los cinco enormes senos de la gorda. Una milimétrica desviación frente a la lupa, hizo que el cuarto seno se llenara de canarios y el quinto de periquitos que picoteaban mientras las cabezas del flaco se hundían en los otros tres senos. La gorda cantaba un sopránico orgasmo que me dejó exhausto.

Los fui conociendo al mismo tiempo que intimaba con sus perversiones. La cara del hombre, por su flacura, existía sólo de perfil; en cambio la carne de la mujer se desbordaba, exuberante, blanda, con la tersura de la de un bebé. Otro día, la cabeza de la gorda se llenó de elefantiasis y brincó a echarse, en donde suponía yo que estaba la cabecera de la cama del pobre flaco; el cuerpo del vecino emergía de los lonjudos labios de la diva; se le veía completamente desangrado; se atoró a la mitad, resistió un poco y luego doblóse consumido, recostando su cabeza sobre el acuoso lagrimal de la gorda.

Día a día, la convivencia de mis vecinos se tornaba más escandalosa y la lupa y yo confabulábamos sus obscenas vidas que ya nos pertenecían. Aprendieron a desarrollar varios brazos tentaculosos, narices de nueve hoyos para aspirar sus efluvios carnales e incontables lenguas de todos tamaños para lamerse mejor. Empulpados y chupados, pasaban de la terraza de ella al lecho de él y ya, sin respetar nada, el loro y el gato participaban de las orgías. El minino tenía cierta preferencia por las cinturas, se anudaba como boa columpiándose de la del flaco o se enroscaba, pequeñito, sobre el ombligo de la gorda, girando sin decidir nunca cuál era la última vuelta y provocando así un constante juego peludo sobre su dueña. El loro se inclinaba más por las protuberancias, le encantaba pararse sobre la nariz del flaco para, desde ahí, bombear acelerados espasmos amorosos. El día de mi santo la lupa me dio un inesperado regalo: el perico penetró en el gato y salió triunfante por la oreja de la gorda.

A mi sillón comenzaron a crecerle transformaciones

ortopédicas inacabablemente serviciales: le creció hacia arriba el respaldo, de modo que yo, sin tener grandes dotes circenses, lograba magiscopear de cabeza. La lupa y yo pudimos, con mucho esfuerzo, empezar a abrir las piernas de la gorda; eran tan rollizas, que daban la impresión de estar vendadas en carne; había días que la piel de los tobillos le cubría los zapatos, como una graciosa enagua encarnada. Al principio fue una labor muy ardua. No llevaríamos ni 20 centímetros, cuando empezamos a hacer avances asombrosos y terminamos en lo inimaginable: la gorda dejaba una gran pierna bajo el sol de su terraza, lanzaba la otra y, atravesando el muro divisorio, la instalaba sobre la cabecera de su vecino. El flaco, cual larva incansable, reptaba por su arco del triunfo; desaparecía y volvía a nacer. Siempre terminaba abrazado a una pierna de la gorda, como a un gran chelo, del que conmovido sacaba arpegios que los extasiaban.

Un día sin oficio ni beneficio, compré un atril. El atril anduvo despistado por todo el departamento, hasta que encontró su lugar: frente a un espejo de cuerpo entero a la entrada del baño. Me pidió, primero tímidamente, luego con insistencia, que montara sobre él a la lupa; se la traje con un sagrado cuidado. El atril sabía jugar al "sube y baja" y, en el "sube", recibió a la lupa.

Una mañana, recién despertado, el espejo, el atril y la lupa me mostraron su amistad, reflejando, de mí, un mástil de nobles proporciones, de regia envergadura. Me sentí capaz de cualquier embate. Nunca soñé poseer tal armamento y supe que sin la lupa, el espejo y el atril, jamás me hubiera enterado. Confirmé mi sospecha: la lupa estaba un poco enamorada de mí. La diferencia es que ahora yo ya sabía por qué.

Sentí cómo el atril y la lupa trababan íntimos conocimientos y tenían sus diversiones secretas: los sorprendí una mañana jugando al "sube y baja" y, no sólo les permití estas pequeñas complicidades, sino que las alenté dejándoles toda la noche encendida la luz del baño.

Desde muy temprano, la lupa y yo nos dejábamos ir en devaneos matutinos, para gran diversión del atril y del espejo, hasta que los vecinos reclamaban nuestra presencia. Ya en la tarde, de regreso al baño, el atril y la lupa ensayaban a revivir entre ellos las peripecias amorosas de la gorda y el flaco.

Todo iba bien hasta que notamos que el espejo casi siempre estaba de mal humor, y no sólo eso, sino que saboteaba el juego en el momento culminante: se hacía el misterioso cubriéndose de vaho y llegó a provocar cortos circuitos y dejarnos a oscuras, fingiendo la muerte nocturna de los espejos. Nos estaba destrozando los nervios. Por fortuna comprendí la razón de sus disgustos: se hallaba resentido pues no era invitado a nuestros juegos con la gorda y el flaco en el salón, así que le ayudé a desempotrarse y le consecuenté unas sólidas patas; su carácter cambió de inmediato. Don espejo era el más excitado, duplicándonos con su libidinosa fantasía. Mi potente nave se disparaba hasta atracar en la soleada terracita ensartando a la gorda de oreja a oreja o haciéndole jugar un brusco caballito. Emocionada, pretendía envolver entre sus lonjas a tan magnífico visitante. El día de navidad, mantuve fijo el rumbo para que el loro y el gato cruzaran sobre él hasta nuestro salón. Estuvieron sólo unos minutos con nosotros, en los que nos deseamos felicidad.

Vivíamos una perpetua orgía con el gato, el perico, la gorda y el flaco, cuando éstos se retiraban, don espejo, el atril, mi lupa y yo, gozábamos de nuestra febril intimidad.

Nunca más volví a estar solo.

Una noche, sin que mi lupa lo sospechara, después de mis abluciones, lavé devoto a mi cristalina amante, saqué destellos de su dorada pierna, la tomé muy suave y la acosté perfumada sobre mi lecho; coloqué su cabeza en la almohada y besé en la frente su plana y accidentada carita. Tuve extremo cuidado de que ni mástiles ni narices interrumpieran su primer sueño de novia desposada.

EL CERDITO ROSA CON SU INSOPORTABLE COLLAR
DE CARACOLES MARINOS

Abrí la puerta y me detuvo en la sala una sensación desagradable: la presencia de alguien que no estaba ahí. Busqué con cuidado una pista. Los cojines de los sillones no guardaban la huella de un cuerpo. Toqué los focos de las lámparas: fríos. Rastreé olores inesperados: un humo de cigarro, el ala de un perfume. Nada. Hasta que un olor me sorprendió. ¡Hedor a campo en un cuarto piso y en el centro de la ciudad!

Decidido a olvidarme de tanta tontería me preparé un café para ponerme a trabajar. A mi artículo del periódico le faltaban los últimos retoques. Mi columna "Miscelánea" me daba variedad de temas y, para vivir cómodamente, me ayudaba con traducciones, reseñas y crónicas literarias en revistas. Mi gran anhelo era ser escritor, mas hasta ese momento sólo había logrado borronear una veintena de cuartillas de una novela muy dudosa: "La insignificante vida de Elmer". Dudaba de ella por la misma insignificancia del personaje.

Al acercarme al escritorio, la presencia se hizo más viva, casi palpable. Frente a mi silla estaba el manuscrito de Elmer. Puedo jurar que llevaba semanas arrumbado dentro de un cajón. Mi artículo de la Miscelánea había desaparecido; al buscar en los cajones sentí que habían sido abiertos y cerrados varias veces. Sobre la máquina de escribir estaba el movimiento de manos invisibles escribiendo sólo con dos dedos a gran velocidad, tecleando fuerte, con prisa, cuando yo la tocaba deslizándome con la suavidad, con la cadencia de un virtuoso del piano. Encontré mi artículo en donde había estado abandonado el manuscrito de Elmer, el que lancé con odio estúpido al fondo del cajón, como si él tuviera la culpa de algo.

Hacía tres años que no tomaba vacaciones, me encontraba exhausto. Pedí dos semanas, y me iba a vacacionar cada día a un café diferente, en las tardes a una película, en las noches con un libro. No supe gozar del ocio, era algo demasiado sofisticado para mí. Al tercer día me fui al café con el manuscrito bajo el brazo. Acabar mi novela sería una saludable satisfacción. Con mi pluma y mi capuchino volví a sentirme escritor. La musa ya estaba sentada conmigo cuando veo venir a Elmer paseando a un cerdito rosa atado con un insoportable collar de caracoles marinos. Al pasar me hizo un guiño y se alejó despaciosamente. Busqué la sorpresa en las caras de los otros parroquianos, pero a nadie le había llamado la atención, no me refiero a Elmer a quien sólo yo conocía, sino al cerdito rosa y su insoportable collar.

Ya nadie se sorprende de nada. Además, el parecido de aquel hombrecillo con Elmer era una coincidencia, que a lo mejor ni siquiera coincidía. Leí en mi manuscrito: "Elmer era un hombre sin atributos que se arrastraba por la vida como un saco lleno de ropa sucia". Lo que acababa de pasar no era una coincidencia, era Elmer.

Llegué a casa directamente a la máquina de escribir; de nuevo la sentí sucia y usada. Escribí casi cuatro cuartillas haciendo un despliegue de crueldad contra Elmer. Cada párrafo era más implacable que el anterior. Lo ridiculicé. Lo volví soez, ruin, maldito; pero siempre infeliz, patético, miserable.

Mis vacaciones terminaban. Escribí cualquier cosa para la Miscelánea. Cuando llegué al diario mi jefe, al que nunca veía, deseaba verme. Me presenté en su oficina.

Se levantó a abrazarme con un entusiasmo incontenible; me anunció un aumento de sueldo y me propuso una sección más importante en el periódico. Le di las gracias sin entender nada; él alababa sin medida los seis artículos que supuestamente yo le había enviado durante las últimas dos semanas. Repetía su sorpresa de que hasta ahora hubiera ocultado, al escribir, mis enormes conocimientos de historia, política, economía y, más que nada, del ser humano, de sus pasiones, de sus flaquezas y también de sus ideales. Mi pluma desnudaba ante el público a todos aquellos a quienes iba tocando. Encontraba su verdad más íntima, desdoblaba el mapa cerrado de sus almas. Perplejo, yo no pronunciaba palabra, sintiendo cómo la estupidez se me plasmaba en el rostro.

Rompí las tres cuartillas que iba a entregar, inventé que las había olvidado, que las llevaría más tarde. Llegué a casa y como león me erguí en la silla frente a mi escritorio. El reto me había vuelto al revés; no le iba a dar gusto a Elmer. Me sentía otro hombre, superior, invencible. Mi texto para la Miscelánea iba a minimizar esos seis que Elmer escribiera. Saqué mi gran álbum de plagios y me esforcé en hilarlos con preciosura. El hedor a estiércol era insoportable. Revisé las suelas de mis zapatos y así, agachado, comprendí que apestaba a cerdo. Maldito Elmer, lo había metido a mi departamento. Mi artículo quedó magnífico.

Yo era un hombre parco; a menudo rayaba en la austeridad; comía, bebía, dormía lo indispensabl. sin goce alguno. Era frío, indiferente con los amigos, más aún con las mujeres. Sólo me excitaba escribir, ser un gran escritor.

Esa noche, al terminar mi estupenda Miscelánea, sentí un hambre que nunca había conocido. Pensé en prepararme una gran cena, bien merecida, pero no pude contenerme. De pie, frente al refrigerador, empecé a comer lo primero que encontraba. En lugar de apaciguarme me volvía más voraz. Devoré un platón de arroz con las manos, me lo embarraba en la cara. Nunca imaginé lo que una tensión emocional puede provocar. Dormí pesado, oyendo mi digestión y mis ronquidos.

El artículo tuvo más éxito del que imaginé. Me ascendieron a primera plana. El director del diario quiso conocerme y presentarme a ciertas personas. Ofreció una cena en mi honor. Me compré un traje oscuro, absurdamente caro, unos lentes de montura dorada que no necesitaba y así, disfrazado de próspero intelectual, me presenté esa noche.

Todo eran alabanzas y el suegro del director no me soltaba, insistía que mi clarividencia era por fuerza la de un inmortal, la de un Sumo Sacerdote de Apolo. El viejo era un erudito en mitología griega. De inmediato vio en mis artículos la fuerza de un oráculo. La misma exactitud en cada uno de ellos. Se hablaba de mí como de un fenómeno.

Estaba a punto de decirle que yo nunca había escrito un oráculo ni nada parecido, cuando vi que Elmer y el cerdito rosa platicaban con el director. No supe qué hacer, me fui torpe y sin despedida, no sin antes llenarme los bolsillos de camarones, hongos y caviar al pasar cerca de la mesa del buffet.

Busqué el periódico. Mi artículo no era la magnífica pieza literaria que había entregado. El necio viejo era un idiota, en mi columna se hablaba de una serie de confusiones, de un político árabe que yo no conocía, del día y del lugar de su nacimiento. Explicaba lo ruin y a la vez lo religioso del espíritu de ese tipo, de las conquistas y luego de las derrotas que se cernían sobre él, de gente con hambre, de refugiados. Todo esto mezclado de águilas, leonas, conjunción de astros. La única explicación era que Elmer había hurtado mis cuartillas y conseguido colar las suyas.

Me esforcé, aunque confieso que bastante menos, en mi siguiente escrito. De nuevo lo que se publicó fue un oráculo, igual de absurdo e incomprensible que el anterior. Tenía yo en casa una copia de mi estupendo artículo. Lo volví a llevar al diario, con idéntico resultado: otro oráculo. Desde ese momento, como me resultaba intolerable escribir sobre Elmer, y no tenía caso molestarme por la Miscelánea, no hacía más que comer, vagabundear, sin siquiera bañarme ni cambiarme de ropa y por sobre todo aborrecer a mi horrible creación y a su cerdito.

El suegro del director era implacable; me pedía oráculos secretos para altas personalidades. Insistía que aceptara dar un ciclo de conferencias sobre la lectura de los oráculos en varias universidades de Europa. La suma que proponían pagarme era astronómica y sólo proporcional a mi desconocimiento de esa ciencia o lo que fuera. A ningún precio estaba dispuesto a hacer ese ridículo.

El mundo entero publicaba noticias acerca de mi genio y mi excéntrica vida; deducían inconcebibles estupideces sobre mis reencarnaciones, sobre mis poderes, sobre mi milenario sacerdocio, sobre mi don de adivino. Sin ser viejo me arrastraban por una interminable cadena de años. Mis artículos, o más bien, los del execrable Elmer, se reproducían en todos los idiomas. Me había convertido en una celebridad internacional que no tenía donde esconderse. Mi multitrillonaria fortuna se multiplicaba a una velocidad vertiginosa, mientras yo vivía corroído y obcecado por una lascivia enervante. Mi olor, tan mío, era lo único que me regocijaba. Ni mi bohemio desaseo, ni mis treinta y cinco kilos de sobrepeso, ni mi devorar ininterrumpido, alejaban de mí a las mujeres. Las más bellas y refinadas señoras de sociedad, las más hermosas artistas y modelos se me ofrecían. Todas me daban asco. Hasta que conocí a la Choncha. Con ella encontré la felicidad. Era la hembra más enloquecedora del mundo, aunque fuera puta, barata y enorme. Purísima puta, fascinante analfabeta, impagablemente barata, deslumbrantemente ignorante, dadivosa, inagotable. Hermosísima mujer alucinante. Hundirme en sus carnes, en aquel cuartucho, revolcarme entre sus olores, ensuciar su inacabable tersura rosada, era el paraíso. No la lograba abarcar y nuestros vientres se aplacenteraban, sus dobleces ahogaban mis explosiones. Nos metíamos a su ahuecado camastro con montañas de hígado de ganso, trufas, galletas y mantequilla que acababa derritiéndose sobre nosotros, bebíamos licores con los que rociábamos nuestras abundancias, nunca parábamos de hozar, untar, comer, sobar y sudar en el cuerpo del otro.

Desperté en una pesadilla: tras una mesa con mantel de paño verde y un criadero de micrófonos, hablaba yo palabras que no lograba oír. La sala de conferencias era espectacular y estaba atiborrada. El entusiasta silencio me daba bríos. A mi boca, la que hablaba, no parecían importarle mis sentimientos, ni siquiera cuando descubrí a Elmer y su cerdito sentados entre la concurrencia. Ella, mi voz, era docta, grandilocuente y precisa. Creo que mi conferencia la dicté en alemán. Las salchichas que había comido me recordaban los dedos de mi Choncha, los olía adornados por aros de cebolla frita, por ajos como diamantes; los sentía explorarme buscando aceitunas perdidas entre mis carnes, le gustaban tanto que siempre guardaba una para el final en mi ombligo. En la Sorbona acepté dos conferencias más que las acordadas, pues la cocina francesa aceleraba mis fantasías de goces nuevos con mi Choncha. Tan sólo de imaginarlos gané nueve kilos. Era inútil querer cerrarme el saco o el pantalón, ni hablar de la camisa, parecía una enorme cama deshecha, bajo una gran gabardina que ya guardaba restos de mis comilonas y que no lograba cubrirme del todo pues se le habían caído varios botones y estaba descosida. El presidente y el ministro de cultura, entre los que estaba sentado, en el banquete de la embajada, no pudieron disimular su asombro, al entrever mi barriga ya tupida por una vellosidad transparente pero compacta. Llegaron las cámaras de televisión y yo seguí comiendo, a ningún precio hubiera interrumpido los postres. Elmer me observaba con asco. *Le Monde* me alabó en su encabezado. Repetí al día siguiente un pastel del que aprendí la receta. Acostaría a mi Choncha en la mesa de nuestro cuartucho, la untaría con espléndidas capas de crema y la adornaría con impoluto betún, con cerezas que cual rojos faros me guiarían hacia lo más exquisito dentro de ese mar de dulzuras. Cambridge me aburrió muchísimo y afiló mi odio por Elmer.

Salió mi primer libro: *Lecturas siderales de los oráculos de Delfos*. Edición tras edición se agotaban en semanas y yo, voraz, sólo oraculizaba en ella. Mi llegada a Italia fue triunfal. La Universidad de Las Bellas Artes de Florencia me recibió con los máximos honores. Varias matronas avivaron mi hambre por la Choncha. Mientras tenía que hablar, me solazaba recordando nuestros juegos. Uno de los predilectos era dar vueltas sobre el lodo intentando salpicarnos, hacernos resbalar y revolcarnos negros, abrazados en esa húmeda viscosidad. Lo único sucio, impuro en nuestra dicha era la presencia maldita de Elmer y su cerdito. En cierta cena con una caterva de doctores, pedí una ración triple de espaguetti; me trajeron una especie de perol del que se desbordaban, y ya sólo tuve ojos para ver a mi divina Choncha coronada por una fuente aún más grande de esta huidiza delicia. Sentía que devoraba su espaguetosa cabellera sobre su cuerpo, que desnudaba con mi lengua, con mis dientes, a mi inmensa Godiva.

En la Complutense de Madrid, me especialicé en el aceite de oliva con el que me untaba el vientre, las manos, para oler a mi Choncha. El rey de España, siempre simpático, me entregó el premio Cervantes, se interesaba por su oráculo y el de algunos primos suyos dueños de Europa. Cerca de nosotros, aunque a una inalcanzable distancia, se hallaban el cerdito con su collar y el pulcro Elmer con su vanidad deferente. La reina Sofía intentaba sonreír y vestía de largo. Por supuesto, era Elmer el que platicaba con ella, pero noté que había soltado la traílla del collar del cerdito, quien dormitaba echado bajo las faldas de la reina. Casi me vuelvo loco, era el momento de raptármelo, mas para lograrlo necesitaba la precisión de un gran escritor. Bien conocía yo de la astucia de Elmer, después de haberlo parido. Elmer, lejos ya de la reina, quedó conversando con un hombre con cara de caballo, que caminaba un poco de lado. Vi la traílla del cerdito escurriendo por debajo de las regias faldas y di el paso fatal. Pisé la traílla, hice una reverencia demasiado profunda y saqué de un jalón al cerdito, cogiéndolo de su insoportable collar. La sensación fue de pulpo, el olor, que se me metió por la palma de la mano, era de algo podrido, de caracol muerto en su concha. Lo solté horrorizado. El cerdito, chillando como soprano, como si ya hubiera empezado a degollarlo, se fue al lado de Elmer. El rey se me acercaba y yo daba un paso atrás apenado de mi olor a caracoles podridos. El rey y yo bailamos un minuet, en el que era él quien me daba jaque. Yo no quería comerme al rey, menos a la reina. Lo que quería era destrozar a mordiscos a esos dos engendros del mal. De pronto, sentí una terrible asfixia: algo me estaba estrangulando. Me llevé las manos al cuello y las retiré horrorizado. Me ahorcaba el insoportable collar de caracoles marinos. Como si los caracoles estuvieran vivos, se me iban metiendo en la piel, entre mi vellosidad transparente. Me puse en cuatro patas, Elmer me cayó encima. Me ató la traílla al collar. Me jaló como un torturador. Supe que a partir de entonces, siempre estaría a su lado, viéndolo escribir. Los caracoles seguían reptándome hacia adentro. Devorándome.

DIVERTIMENTO DE EMMA

He sufrido la misma afrenta todos los días.

Desde el mostrador de nuestra botica, con sólo la estrecha calle de por medio, observo la profanación de los carniceros entrando y saliendo por el gran portón. En mal momento se establecieron en nuestra pequeña pero digna ciudad; tuvieron la osadía de comprar la casa de más abolengo, aprovechándose de un revés de fortuna de los señores Condes.

Y ahora, de buenas a primeras, Emma muere de amor por el ganso cebado de Sancho. El infeliz camina orondo cuando siente sobre sí la mirada de su mujer. Ella, que sin pudor lo rechazaba con asco, ahora hasta se cuelga de él y lo llama "Papito". Qué desagradable burla, cuando aún la gente decente no nos recuperamos de su última fechoría. A Sancho, mientras tanto, se le sigue llenando la boca de sangre con sus historias de cazador, al grado que se confunden con sus hazañas en la carnicería que lo ha vuelto inmensamente rico. La nueva pasión de Emma por su marido es la más inmoral de todas: un juego perverso, una farsa descarada. Qué grotesca se ve ahora que, haciéndose la puritana, pretende ocultar bajo un tul la vulgaridad de sus pechos, que siempre me han parecido dos equilibristas que van en el hilo del escote embaucando tontos.

A mí me había salvado la virtud de ser olvidada por esa gentuza, pero Emma de pronto me persigue, insiste en que tengo que ir a la fiesta sorpresa que le va a dar a "Papito"; me consuela el hecho de que no va a notar mi ausencia. Esta trivial mujerzuela, que nunca antes logró retener mi imagen en su cabeza, ni siquiera el tiempo necesario para saludarme, ahora me obliga a oír sobre los casimires ingleses que compró para mandar hacer trajes a su marido y sobre los cuatro kilos que Sancho ha enflacado. A mí qué me importa.

Sin embargo, aquí estoy, transigiendo, en la oropelada casa de los carniceros. No quise darles el gusto de ponerme el vestido gris de las grandes ocasiones, ya le hago más favor del que se merecen con haberme puesto mi traje sastre negro y el collar de perlas herencia de mi abuela. Como siempre, los hombres cuchichean embobados sobre Emma y, en cuanto tienen ocasión, le dejan escurrir palabras lascivas en los oídos; bien saben a quién decírselas, a mí siempre me han respetado pues saben que soy una mujer honrada. Harta de escabullirme de Emma, cedo ante su persistencia y oigo con desaprobación manifiesta cómo va a ir a comprar todo lo que se vende en París. ¿Por qué me sonríe con complicidad, sabiendo lo austera que es nuestra vida? Mis ojos son un témpano, aunque ella no lo nota. "Papito" se acerca, está muy demacrado. No sé si esta tonta le mandó hacer el traje grande, pero no, algo tiene, de seguro está enfermo: su piel, sus labios, sus manos tiemblan. Dice estar contento de haber adelgazado y que quiere perder muchos kilos más. Esbozo una mueca de sonrisa ante su patética tontería. En seguida, acepto los muy merecidos elogios a mi marido, su médico de cabecera. Sancho sabe que es un genio, pues nunca había logrado, con otros médicos, adelgazar de esta forma. Emma dice, en voz demasiado alta, que debe de ser fascinante mi trabajo, que a ella le divertiría mucho ser "botiquera", como yo. Su sonrisa cargada de intención me desconcierta. De reojo advierto que algunos de los invitados disfrutan de la situación. Es una impertinente. La llegada de mi marido la interrumpe, él viene sólo a disculparse, tiene un paciente grave, se despide cortante y yo aprovecho para tomar una actitud de dignidad ofendida y esconder mis manos percudidas y manchadas por los ácidos de la botica.

Emma y su carnicero tardaron más en irse de viaje que en estar de regreso. Sancho casi ni lograba ya sostenerse en pie. No volvió a hacerlo: murió esa noche.

Con qué esfuerzo Emma trata de llevar su papel de viuda inconsolable, explosiones de boba alegría que hacen más espesa la hostil atmósfera del velorio. Emma me arrastra hasta su recámara, no consigo creer que haya comprado tantos vestidos negros y que los modele en forma tan pueril. Le habrá costado una fortuna el sombrero que va a usar mañana para el entierro; me pregunta con coquetería si se ve mejor velada o con la gasa detenida por su alfiler de diamantes. Ante mi muda indignación, se quita el sombrero y saca del armario un bulto que me arroja: se desdobla en mis manos una capa de terciopelo y astracán negro. Emma dice con descuido: "Ah, esto es para ti, para mañana". Sale de la habitación mientras yo, atónita, busco algo en que envolver la maravillosa capa que casi no me atrevo a tocar por miedo a que desaparezca.

A media escalera, sintiendo el bulto bajo mi brazo, veo a mi marido escabullirse. Me detengo y, desde esa altura, a través del cristal que hay sobre la puerta, le veo cruzar la calle y abrir con torpeza la cerradura de la botica. Después de unos minutos me extraño de que las luces de nuestra recámara sigan apagadas. No puede haber salido a ver a un enfermo sin encenderlas para tomar su maletín.

Debe de estar en la trastienda de la botica. Estas últimas semanas ha venido actuando en forma muy rara, él que siempre ha sido apacible hasta la abnegación, ahora está irritable, casi grosero. Duerme poco, no come. ¿Estará enfermo? Las luces siguen apagadas. Me angustia que algo haya podido ocurrirle, corro a buscarlo. Fuera de mí, entro por la botica hasta la trastienda y me topo con él. Su sobresalto me asusta. Está lívido. Sostiene en sus manos un fajo de recetas. Enfurecido, me saca de la botica y se encierra por dentro bajo llave.

No salió de ahí en toda la noche. A las seis de la mañana oí que cerraba la puerta de la calle. Me fui directo a la trastienda a revisar los cajones en donde guardo las recetas. Supe de inmediato qué buscar: las prescripciones de Sancho. Por supuesto, habían desaparecido. Ya no me fue posible detener mi certeza: la medicina del carnicero llevaba una pequeñísima dosis de cianuro. No encontré el frasco. Qué ingenua fui creyendo que su antipatía por Emma era tan intensa como la mía. Cómo pudo caer tan bajo, con esa prostituta. Por ella llegar hasta el crimen, ofenderme así. Tengo pruebas suficientes, me las van a pagar.

—Emma y tú asesinaron a Sancho —le grito.

Permanece impávido. ¿Por qué no se defiende?

—No esperes piedad de mí. Has manchado mi honra. No permitiré que pases una noche más bajo mi mismo techo. En esta casa siempre reinará Dios y su implacable justicia.

Con lentitud, me pongo el abrigo. Nunca me había parecido tan difícil abotonarlo. La bufanda. Con la mano en el picaporte digo muy fuerte, como para mí misma:

—No van a gozar de su crimen, puercos, los descubrí y ahora voy a denunciarlos.

Se vuelve y me ve a los ojos, sin hablar. Me paraliza su frialdad. Va a matarme. Abre el escritorio. Introduce la mano y saca unos papeles. Me avienta a la cara las escrituras de la casa de Emma. Están a nuestro nombre.

Desabrocho mi abrigo, lo cuelgo, me siento junto al moribundo fuego de nuestro triste salón y sonrío a mi marido.

EL MESÓN DE LOS SANTOS INOCENTES

Conocí Los Santos Inocentes en plena tristeza, hará casi cuarenta años. Yo, por entonces, era tinterillo de un renombrado despacho de abogados de la capital. Fui a Valle con la encomienda de arreglar la venta de tierras aledañas al mesón que aún formaban parte de la hacienda. Su dueño, en esos años, era Augusto Montemayor. Vivía solo con su hija, joven sobre la que corrían las más disímbolas historias: que había nacido loquita, que padecía una enfermedad innombrable, que tenía un misterioso amante con el que se citaba en secreto.

Don Augusto y Blanca no frecuentaban a nadie; a él, de vez en cuando, se le veía en el pueblo tratando de parchar, con notarios e inquilinos, su irremediable bancarrota. Blanca sólo salía de casa por la puerta de atrás, la de las caballerizas, que daba al campo. Salía montada en su enorme caballo pura sangre, el Moro; él y su amazona parecían los únicos lujos que quedaban en la vida de don Augusto. Yo, con dificultad, me movía en las irregulares banquetas del pueblo, pasando grandes calores, extrañando mi ciudad. Tenía que llevar a buen término la venta de los terrenos de don Augusto. Ante cada tropiezo con escrituras y acuerdos, se me venían encima días y semanas interminables, hundido en Valle.

La primera vez que vi a Blanca estaba yo sentado en la terraza de su casa: ella cabalgaba sobre la cresta del monte chato; el día era transparente y la distancia no mucha; la sabía muy joven, no más de veinte años, pero me sorprendió de su estampa tanto el tamaño como la fuerza. Sus hombros eran anchos y rectos como su espalda, que se balanceaba al galope; sus brazos y sus piernas eran largos y sólidos; llevaba las riendas con soltura y con castigo, mientras sus muslos se abrazaban potentes y dominantes contra el lomo del Moro; su pecho explotaba en dos senos de hembra buscando guerra; sus caderas se curvaban angostándose en su estrecha cintura; su elástico cuello cabalgaba paralelo al de su caballo; su pelo, muy rubio, iba suelto, sólo atado por un lazo a la nuca de modo que la impresión era que volaban unidas dos colas, la del pura sangre y la de la amazona.

Yo, encorvado, hacía números en la mesa del comedor de su casa. Ella abrió la puerta, que era de dos hojas. Don Augusto y yo siempre cupimos sobrados sólo por una, ella entró por el centro y las dejó abiertas de par en par. Cuando me vio, se me acercó pausadamente, endureció los brazos y estiró ambas palmas apoyándolas sobre la mesa; sus senos embravecidos me retaban, pero su cara estaba ausente. Desconcertado, me puse de pie, sintiéndome pequeño; ella enderezó la cabeza dejándola un poco hacia atrás, tomó su cola de cabello rubio, jalándosela desde la nuca y haciéndola correr sedosa entre sus dedos. Su cuello se arqueó gracioso, y ella de nuevo lo castigó tirando de su rubia cola. Sin mover las palmas de las manos ni aflojar la tensión de los brazos, dio un paso hacia atrás, embistió sus pechos contra mí, curvó hacia abajo la cintura, elevando la cadera que balanceaba rítmicamente, apoyando todo el peso de su cuerpo, ahora sobre un pie, ahora sobre el otro. Yo temblaba respirando diferente y sin saber a qué atribuirlo. Blanca se irguió, brusca, y me dio la espalda. Las puntas doradas de su cabello atado chicotearon mi cara como un fino látigo que acaricia. Ya en la puerta, sin voltear a verme, dijo con una voz ronca y plana:

—Mañana es cumpleaños de don Augusto, venga a cenar a las ocho.

Cómo podría describir lo que pasó, no lo sé, es imposible. No había sucedido nada y todo había ocurrido. Intenté recordar su rostro y me era también imposible, pues era una cara absolutamente sin importancia. Sólo logré retener dos peculiaridades: una, que el color de su cabello y el de su piel eran idénticos, al punto de encontrar difícil saber dónde terminaba uno y comenzaba el otro; el segundo rasgo lo descubrí mucho más tarde y fue el lenguaje de las aletas de su nariz. El cuello, la cola, su cuerpo, iban siendo tan importantes que ya no me podía detener, ella me inquietaba y me confundía, aunque no puedo decir que me gustara.

Cinco minutos antes de las ocho, con terror de llegar temprano o tarde, espiaba detrás de un árbol el portón de Los Santos Inocentes. En punto, los pechos de Blanca me abrieron impidiéndome el paso; estiró el cuello, arqueándolo; luego seguí sus pisadas cimbradas tan fuerte, que me obligaban a ir de puntitas tras ella.

En una salita encerrada de irrespirable humedad, se arrinconaban, apretaditas, tres mujeres viejísimas que resultaron ser tías de don Augusto. Pasamos al comedor, Blanca y yo quedamos frente a frente y algo separados del apiñado retrato en familia.

Blanca no se parecía a nadie, no de su familia, a nadie que yo hubiera visto o imaginado. Me dio la impresión de que aunque ella permanecía silenciosa, el que me hablaba era su cuello, siempre en movimiento. Esa noche Blanca había trenzado su cola de cabello, los gajos de la trenza eran fuertes y apretados, como todo en ella. Don Augusto sacó una botella de sidra para la ocasión y brindamos por él. Blanca, más que beber, mojó sus labios semicerrados de los que escurrieron gotas de sidra que se iban perdiendo en su cuello arqueado hacia atrás; tiraba de su trenza, como obligándose a mantener esa postura, que yo sentía de castigo, de un castigo que le daba mucho placer.

Las tías trajeron el pastel y lo pusieron en el centro; Blanca, de pie, apoyó sus manos en la orilla de la mesa y, dando un paso hacia atrás, colocó su cuerpo en esa posición ya marcada al rojo vivo en cada uno de mis órganos. Mi excitación era apremiante, me desbordaba una virilidad animal que me obligaba a temblar.

Ella volvió a jalar de su trenza, de su brida, pensé, y supe que Blanca era una caballa.

Caballa no domada que yo tenía que montar.

El rompecabezas equino de su cuerpo tomó sus formas originales: vi su grupa deslumbrante, su cuello, su crin trenzada, su lomo terso que me exigía cabalgarla.

Blanca, mi caballa, caballa obsesión. La soñaba, la sentía, caballa blanca, caballa fugitiva. Yo ya no salía de su casa, herido de pasión. Poco a poco, cada vez más en celo, me fui acercando a las caballerizas; supe que mientras yo no domara a mi caballa, ella cabalgaría con su enorme caballo Moro.

Mi delirio, incendio por ella, me dio el coraje para subirme a una yegua bastante vieja. Me puse a seguir a mi caballa. Subí a la cresta del monte chato y dejé que la yegua me fuera llevando, al paso, siempre al paso.

Iba cada día más lejos tras mi caballa blanca, tras su grupa sólida y poderosa, soñándome enlazado a su lomo, uncido a su cuello, lengua de deseos, tras su crin de oro blanco, de aire. Y me fui aficionando a esta lenta persecución que se convirtió en un cortejo amoroso.

Descubrí un río caudaloso que, después de mucho bajar, se hacía estanque en una hondonada. Me acostumbré a sentarme cada día a la sombra del mismo árbol, a los pies del río, soñando, desde ahí, ver aparecer desbocada a mi caballa blanca, con su cola de cabello dócil y volátil. La veía acercarse a mí, con su enloquecedora forma de mover el cuello, retándome de perfil, invitándome a acariciarla; olía sus pechos abiertos ofreciéndoseme, su lomo ya mío, su brida entre mis manos, entre mis dientes y los dos galopando hacia nuestra cópula eterna.

El día que por fin llegó a la cita, sentí un dolor devastador, sentí que me iba a matar, sentí que me estaba muriendo. Caí tendido contra el árbol. Mi Blanca y su Moro se metieron al estanque y, en su centro, se detuvieron. El resplandor del agua me deslumbraba haciéndome creer que era un espejismo el que veía. Blanca desmontó de un salto, y en cuanto cayó al agua, que muy poco le cubría, volvió a ser mi caballa. Relinchó, se irguió levantando las manos, tirando siempre la cabeza hacia atrás, de pie frente a mí, jugando con el aire, todo su cuerpo tenso vibrando, su grupa resplandecía bajo gotas de agua que la adornaban como brillantes, su cola de caballa cadenciaba una danza, un ritual erótico.

Me habló con el divino lenguaje de las aletas de su nariz, ella respiraba por mí, yo jadeaba por ella, anticipando mi doma, su entrega, mi placer. Un brío que no me pertenecía reventaba por mi sangre, por mis muslos, subiéndoseme por las patas. Sentí el apoyo fuerte de mis ancas, la elasticidad potente de mi lomo, la virilidad palpitante de mi sexo.

Mi cuello erguido, mi crin salvaje, mi mirada, mi deseo eran de noche brillante. La iba a poseer yo, su potro luminoso. Relinché frente a mi caballa, cabriolé a su lado mordisqueando en caricias su blancura empapada. Ella me provocaba esquivándome, atrayéndome, ofreciéndoseme. Animal desbocado, la brinqué, la enlacé con fuerza y de una sola acometida la poseí.

Las estrellas habían invadido mi espejo líquido. Cuando salí de él, a tientas, busqué a mi caballa. Había desaparecido. Supe que así sería la historia de nuestras vidas ya para siempre lazadas. Historia de espejismos de ausencia, de desesperada espera, de paraísos en nuestra húmeda hondonada. Por siempre, mi caballa sólo mía y yo su dueño negro.

De nuevo, como todos los jueves, sale vestida de hombre, sin una gota de pintura, el pelo restirado y oculto bajo su sombrero blanco que cuida con una veneración absurda. Su saco, su pantalón, sus zapatos bajos le dan una apariencia de bello adolescente.

Innumerables veces la he seguido, agazapado como un ratero, temblando del terror de descubrirla encontrándose con su amante, ofreciéndole sus labios, su cuerpo. Cada jueves repite idéntica rutina: se dirige a la florería, compra un ramo de rosas blancas y con ellas vaga por horas, sin rumbo. Al atardecer se sienta en una banca del pequeño jardín encerrado entre el atrio de la capilla de Santa Cecilia y su abandonado camposanto. Ahí permanece inmóvil, perdida de sí misma. Es un ritual morboso. ¿Por qué los jueves? Las sombras del crepúsculo la devuelven abatida a la casa.

Los otros días, todos los días, también la sigo: camina sin cansarse. De momento me da la impresión de que se dirige a un sitio especial, acelera el paso y me detiene el corazón. No se encuentra con nadie. Me hace parecer, sentirme loco. La voy a obligar a que confiese, aunque luego me tenga que dar un tiro. No la puedo perder.

Únicamente yo sé amarte. Te ofrezco la inmortalidad guardándote en mis lienzos. Otra vez el dolor en las sienes, las oprimo fuerte con las yemas de los dedos, la cabeza me va a estallar. Me ve, su mirada viene de muy lejos, desde otro lecho, desde otro hombre. Advierto ese gesto de cansada piedad que se esboza en la comisura de sus labios cuando recuerda que existo.

Los días se suceden, se traslapan, se confunden en un mismo tormento repetido al infinito, que sin embargo nunca es el mismo.

—Y hoy, ¿por qué se te hizo tarde? —le digo besándola en la mejilla, eludiendo su boca que no me ha ofrecido. Su cabello huele a alcoba revuelta. ¿Usará palabras amorosas con él? A mí no me dice nada. Hasta con su silencio me traiciona. Rabioso, cuelgo su abrigo del perchero.

—¿Tarde? ¿Qué hora es? Fui a la modista y regresé a pie.

—Pero está lloviendo, Berenice.

—No lo noté. Qué marchitas mis pobres flores. Mañana jueves, me prometieron tenerme dos docenas de rosas blancas. Hoy descubrí un florero precioso en la casa de antigüedades.

Es insoportable. Se delata con cada palabra, sus mentiras me enervan. Cuál serenidad, cuál ternura. Ya no puedo amarla. Sus olvidos de mí, los recuerdos de él, son de un descaro que me ultraja. El abrigo está húmedo, pero si hubiera venido caminando desde la casa de su modista, estaría empapado. Con desgano intenta ocultar su traición. Se burla porque me sabe incapaz de vivir sin ella.

—Berenice, cómo pudiste pasar por la casa del anticuario, si se halla del otro lado de la ciudad. Por supuesto, en el caso de que sea verdad que vienes de la modista. Ya nada me importa. Te lo suplico, dime dónde estuviste, con quién.

—No empieces, Pablo. Por favor. Tal vez vi el florero ayer u otro día —dice mientras se dirige a la recámara y cierra con suavidad la puerta.

Abomino su serenidad, sus nostalgias, sus buenos modales: pruebas irrefutables de su indiferencia. Sus movimientos lentos, silenciosos, la acusan. Todo es una farsa. Nunca está conmigo, aunque pasemos horas en la misma habitación, aunque la abrace desesperado, aunque frenético le haga el amor. Escribe cartas que no envía, cuyas cenizas deja consumir en la chimenea. Rescato algunas palabras: "Ecinereb, alianza, cruel, Ecinereb". Me lleva meses comprender su nombre invertido. Si mi amor no es capaz de recordarte que estoy contigo, lo va a hacer mi rencor, que también es inmenso.

La encuentro aún vestida. Veo sus labios pintados. A bofetadas te los hubiera vuelto a poner rojos. Se encuentra acurrucada sobre el diván, a un lado de la cama, calentando sus pies descalzos bajo un cojín. Me arrodillo para acariciarlos, besarlos. Agotado, con los ojos arrasados en lágrimas, murmuro:

—Pobres, delicadas aves blanquísimas.

—Estas manifestaciones son ridículas —dice retirándolos, cubriéndolos con su falda, alejándome con la mano, como a un niño imprudente. Una última mirada: Berenice me da la espalda, su tierna nuca doblegada. Sería tan fácil quebrarla, sin lucha, sin violencia.

Lejos de ella, a unos cuantos metros, en la sala, doy vueltas, encarcelado. Resisto, sé que ha transcurrido muy poco tiempo, que mi presencia la fatiga, pero ella olvida tan pronto. Regreso a la habitación fingiendo un ataque de alegría. En voz demasiado alta, recito:

—Luminosa Berenice, vestida de blanco... con esa luz de atardecer gris en tus ojos oceánicos... ¿Lo recuerdas, Berenice? Fue el primer poema que te escribí, y aún no te amaba ni la millonésima parte de lo que te amo hoy. Te idolatro, dime que me quieres un poco, aunque sea una mentirilla blanca como tú.

—Basta, Pablo, basta. Por favor.

—Me has hecho perder hasta la dignidad. Mi estudio

es tuyo, lleva a tu amante ahí cuando quieras, te juro no interrumpir. Me quedaré encerrado en la casa. Nada me puede ya herir más que tu desamor.

Salgo a la calle, camino, cruzo las avenidas sin detenerme. Las sienes. Voy a estallar. Acelero el paso. Sin respiración, me detengo frente a la casa de la modista. ¿Cómo llegué aquí? Recargado contra la pared lloro. El hombre que vuelve a casa es un viejo perdido. Al entrar, la luz, el calor, me despiertan. Estoy empapado, ni siquiera me llevé el abrigo.

Me baño, me perfumo. Berenice va a ser mía como lo fue las primeras veces que hicimos el amor; como cuando nos conocimos en aquella deslumbrante mañana de noviembre, hace casi cuatro años, cuando ella acababa de salir del hospital, cuando se recuperaba de la depresión nerviosa en la que intentó morir, cuando mi amor le recordó que aún había mar y rosas blancas. Antes de que ella pensara en engañarme, en tener un amante, no lo sé, antes de mis dudas, de mis sospechas. Berenice está acostada, hojea un libro de barcos antiguos. Me meto en la cama, beso su hombro, su brazo desnudo, acaricio su vientre, su pubis. Ella dobla la hoja, distante, inalcanzable, sigue perdida en los barcos, en el mar. Arranco el libro de sus manos y lo arrojo contra el armario, el que fue de su abuelo, rompo el gran espejo biselado. Berenice regresa, observa el espejo, murmura para sí: "Qué lástima". De sus ojos se desbordan lágrimas que se hunden, silenciosas, entre su cabello, entre las plumas de su almohada.

—Perdóname —le pido sin atreverme a tocarla. Me levanto. Ella no se mueve, no dice una palabra. No me desea, le es fiel a él. Me detesta. Ya en la puerta, con la voz entrecortada por un sollozo, le digo:— Me voy a dormir al estudio. Mañana, antes de que despiertes, la casa va a estar llena de tus rosas blancas, y un ramo enorme aquí, en la recámara, en el florero antiguo que tanto te ha gustado. El espejo, todo va a estar para siempre perfecto.

Reconstruyo su rostro reflejado entre los añicos. Me sonríe con desesperanza.

Trato de escribirle un poema: "Luminosa Berenice..." Es inútil. Tomo somníferos.

Raro en ella, sale temprano, me da una tregua. Llevo a casa al vidriero, pago un dineral, no me separo de él. A las seis de la tarde el espejo del ropero, intacto, una réplica perfecta del anterior. El florero antiguo, de cristal cortado. La casa llena de flores. Aguardo su llegada con una ilusión infantil, gozando de antemano su sorpresa. A las diez, aún no ha vuelto. Jamás se había retrasado tanto. El aire me falta. Me quito el saco, la corbata, me abro la camisa. Cuando la encuentre voy a actuar como antes: sereno, tierno, romántico, amándola dedicado a mi pintura. Tomo un puño de tranquilizantes. Me siento mejor, aún antes de que pudieran surtir efecto. Me sirvo una copa de coñac. Me acomodo en mi sillón y abro un libro. Una marina. Recuerdo aquel día con una nitidez terrible. Venía yo de pintar en el campo, y me sorprendió ver a Berenice en ese lugar, con un ramo de rosas blancas. Ella no me vio. Entró al pequeño cementerio situado en la colina dominando el mar. Confundido, no me atreví a seguirla. La esperé, ocultándome. Salió con las manos vacías, con pasos inseguros. Se alejó. Una ráfaga de viento frío penetró por mi espalda. Tirité. La dejé irse.

Por la noche, con mil palabras, la invité a que me contara sobre su visita al cementerio. Nunca se delató. No obstante supe que Berenice amaba a otro hombre, como jamás me amaría a mí. Supe que desde ese momento ya no estaba solo, que las dudas, los celos, el dolor, para siempre me acompañarían, que los tendría que tratar como se trata a un amo o a un enfermo.

Revolviendo todo en el cajón del escritorio, busco mi pistola. Tomo una hoja de papel, escribo: "No hay escondite para ti, eres mía. No te quiero matar, Berenice. Te doy tu libertad, pero a mi lado".

El ruido de la cerradura. Escondo la hoja, la pistola. Veo mi ropa tirada, ya no hay tiempo de levantarla. Cruzo los brazos sobre el escritorio. Le sonrío apaciblemente sin decir palabra.

Me observa mientras se quita el saco y se pasa los dedos sobre los labios.

—He tenido mucho miedo. Voy a dormir aquí en la sala. No soporto ver el reflejo de tantos recuerdos rotos en el ropero.

Lo había olvidado. Me levanto. Me le acerco despacio, como hacia una niña asustada. Tomo su mano, dulce, decididamente. Ella se deja llevar. Percibo un desasosiego en su cuerpo cuando abro la puerta de la recámara. Sostengo su mano. Había yo dejado las luces encendidas. Berenice trata de no mirar hacia el ropero, mas no puede evitarlo. Su gesto de franca sorpresa llega demasiado tarde, ya no me causa ningún placer. Descubre el florero con indiferencia. Su amante la ha raptado de nuevo, está ya muy lejos de mí. La dejo sola en la recámara.

Recojo mi ropa despacio y la arrojo con furia contra el sofá. No pude dejar de notar su blusa arrugada, su falda sucia. Él es su cómplice, conoce de mi existencia. La comparte porque no la venera como yo. De qué manera la posee, que ella vive encadenada a su tacto, a su olor, a sus pensamientos. Ya no se separa de él. No logro alcanzarla, retenerla conmigo un minuto. Voy a encerrarlos a los dos en mi estudio. Ahí, rodeados de los mil lienzos que he pintado de Berenice amándome, se van a aborrecer. Su amor será su infierno.

Tomo otra copa. Cuando entro a la recámara la encuentro acostada, tapada hasta la barbilla. Ha llorado de nuevo.

—Olvidemos, Berenice, olvidemos. El espejo está intacto, idéntico al otro.

—No, Pablo, las miradas de mis padres, de mis abuelos, todas las miradas de cuando era niña, no se reflejaron nunca en esta luna. Ya nada es verdad.

Sostengo con mis manos su cabeza, en una caricia que le avisa que no voy a pedir nada más. Mis dedos abarcan con largueza su cuello. Una presión delicada, paulatinamente más fuerte y sería mía para siempre. Voy a besarla con suavidad en los labios y siento rabia. Aprieto un poco más, sus ojos se agrandan llenos de miedo, la recuesto, retiro mis dedos de su piel enrojecida, lastimada. Sólo muerta, Berenice me devolverá la paz. Acaricio su frente, sus párpados cerrados, cubro su rostro con la sábana. Esta noche Berenice es mía.

—¿Por qué todo el tiempo estás triste? ¿Hay algo, alguien que pudiera hacerte feliz? Has adelgazado, me duele tu cansancio, tu mirada. Renunciaría a todo por volver a verte sonreír.

—Extraño el mar.

—Mi exposición se inaugura en menos de un mes, ¿también lo has olvidado? ¿Qué te falta, Berenice? Te lo doy todo, pero nunca es suficiente. No puedo pintar, me falta concentración.

El dolor en las sienes es tan intenso que me dejo caer en el sillón, un balazo hubiera sido mucho menos doloroso, pensé, mientras me cubría los ojos con la mano abierta sobre ellos. Me los arrancaría, si así pudiera dejar de verla imaginándola con él.

—Solamente cuatro, cinco días, Pablo. También tú vas a descansar.

Los ojos de Berenice brillaron de nuevo con esa luz plateada que me encadenaba a ella. ¿En dónde se encontrarán?

—Si quieres ve sola. Tengo que trabajar.

—Pobrecillo, en dos horas estarías allá, buscándome. Te hago daño. Pero no será por mucho tiempo.

Fue la única vez que habló de dejarme. El impacto de sus palabras me hirió tan profundo, que no me atreví a verla. Supe que ya jamás silenciaría esa frase: "No será por mucho tiempo".

—No, Berenice, lo digo en serio, últimamente te ves muy pálida. La brisa del mar te va a hacer bien. Siempre regresas más fuerte. Tus bronquios sufren en la ciudad.

Estoy loco, si ella llegara a aceptar, en la estación la besaría, la abrazaría con una ternura que no siento. Sin que me viera, tomaría el mismo tren, con el doloroso placer de descubrirla.

—Sufro en la ciudad tanto como tú a mi lado, Pablo. Allá es peor. Descubrí con cuánto odio me amas desde aquella vez que insististe que fuera sola a la playa, que creyendo que no me daba cuenta, tomaste el mismo tren que yo, que me seguiste como a una criminal durante dos días, que interrogaste al conserje del hotel, a la recamarera. Que cuando te presentaste lo hiciste actuando una felicidad desbordante, mientras que en tu mirada había un filo, una desesperación de enajenado. Me das miedo, me das lástima, todo es inútil, Pablo, no conoces otra forma de amar. Eres devastador.

—De modo que en aquella ocasión estropeé tus planes. Que no estoy tan equivocado. ¿Por qué me lo has ocultado hasta ahora? Debo de parecerte patético.

—No te lo oculté: No quise herirte porque sé qué tan

despiadadamente te atormentas.

—Prefiero tu confesión que seguir viviendo a expensas de ese hombre al que yo ya tampoco puedo olvidar. Me mantienes vivo ocultándome la verdad, mintiéndome.

—No miento, Pablo, olvido, no recuerdo lo que es poco importante.

—Poco importante soy yo.

Escuché dentro de mí su voz cansada repitiendo: "No será por mucho tiempo". La angustia me asfixia, Berenice es mía como mis ojos que la pintan, como mis manos que a cada pincelazo la poseen, como mis lienzos que la aprisionan, subyugándola, idolatrándome. Me acerco a ella abrazando contra mi pecho su cabeza, besándole el cabello, la frente, los párpados; dibujando con mi dedo sus labios, mientras la retengo contra mi piel. Susurro en su oído:

—Perdón, vivo sin compás, desacompañado. Olvida mis tonterías. He sido insoportable. Soy lo mejor que has tenido en tu vida. Te amo, Berenice, nunca sabrás cuánto te amo.

Escondida entre sus pañuelos encontré una maltratada fotografía de Berenice, Berenice de los jueves, adorable también bajo su sombrero. Al reverso de la fotografía: ECINEREB, repetido, repetido con una letra incierta. Logré callar, por fin le guardaba yo un secreto a ella, la traicionaba.

En noviembre desapareció. Busqué sin tregua todo un año su luz plateada, sus miradas, sus recuerdos. Toqué cada puerta de las casas de la playa. Hablé mil veces con la florista, con el anticuario. Qué poco conocí a Berenice. No supe nada de su pasado, no supe nada de ella. Nunca más la encontré.

El tren sale del túnel y me deslumbra la primera visión del mar intensamente azul. Hace ya casi tres años que me abandonó. Los primeros meses fueron un estar muriendo sin vida, después fue llegando una paz antigua, la que tuve antes de amarla. Una paz que regresó mezclada de tristeza, que poco a poco se fue diluyendo, dulcificando; hoy de ella sólo queda una tierna nostalgia. Así la amo. Solitario, he llegado a ser casi feliz, mis pinturas se venden bien, trabajo mucho. Volví al pueblo a buscarla cuando estaba enloquecido sin ella. Ahora vengo a descansar al lado de su recuerdo, a vagar sin rumbo por las estrechas calles, por las playas. Tal vez pinte una marina.

Entro al cementerio, camino entre las tumbas leyendo las ingenuas inscripciones de las lápidas, observo las pequeñas fotografías que enmarcadas por algo semejante a un cáliz hay en cada tumba, enternecedora costumbre local.

Berenice vestida de blanco. A pocos pasos de mí. Iluminada dentro de la miniatura que pinté para inmortalizarla también sobre su sepultura. Mi Berenice de los jueves. Mi adolescente tocada por su sombrero blanco.

Me siento a su lado, como siempre ella guarda silencio. Saco mi cuaderno y empiezo a hacer esbozos del paisaje que nos rodea. Así paso ligero, sereno, con mi Berenice, nuestras mañanas. En el horizonte un velero enorme, cuento cinco velas. Me levanto, camino unos pasos para observarlo mejor, no puedo decir si se acerca o está partiendo. Será un lindo regalo para Berenice. Voy por mi cuaderno, tropiezo con una tumba pequeña casi devorada por una hiedra. Ocioso, corto las hojas que ocultan la fotografía. Berenice con su sombrero blanco. Una fotografía igual a la que ocultaba entre sus pañuelos. Es imposible, yo la enterré, esculpí con mis propias manos la inscripción de su lápida. No puede estar en dos tumbas. Arranco el follaje. Leo: "IN MEMORIAM AL MARINO... (su nombre está desvaído)... EL AMOR DE SU HERMANA BERENICE". Las fechas de sus muertes están sólo separadas entre sí por los cuatro años que yo la forcé a vivir.

Mis sentimientos son tan encontrados, tan intensos, que no siento nada. Intento correr, alejarme de sus tumbas, de sus ojos idénticos.

Logro llegar al centro, no puedo probar bocado, todo da vueltas, recuerdo los juegos de las ferias de cuando era niño. Un colapso: estoy a punto de perder el sentido... El dueño de la fonda me ofrece llamar a un médico. No le contesto.

Empapado en un sudor enfermo, dando tumbos, sosteniéndome contra los muros, cayendo, logro llegar hasta el hotel.

Coloco un lienzo sobre el caballete. No necesito modelo, vive dentro de mí. Lo que va saliendo de mis pinceles no es la imagen de mi Berenice, la que en mi estudio me ama, es la de un bello adolescente retándome. Pinto hostigado por una fiebre delirante.

Casi a mediodía termino el cuadro. Caigo desfallecido sobre la cama. Al despertar, me encuentro a oscuras, enciendo el viejo quinqué. De frente me desafía la más bella Berenice que haya visto. Me pongo en pie, cerca de ella. No es ella, es él, su hermano, viéndome con desprecio. Las aletas de su nariz, su gesto altivo, no le pertenecen a ella. Corro a la cocina del hotel, a tientas, la noche es muy clara, encuentro un cuchillo. Subo de tres en tres las escaleras. He dejado la puerta abierta. Sin detenerme, sin darme un segundo para pensarlo, le atravieso de lado a lado el corazón. Por fin Berenice me pertenece. Él ha muerto. Desbocado, con el arma en la mano, borracho de venganza y amor, llego al cementerio.

Siento el cuchillo en mi mano, lo arrojo lejos.

Me acurruco junto a ella, abrazado a su tumba.

Cuando despierto, el sol me da de lleno en la cara ajada de sudor, de lágrimas secas. Me cuesta abrir los ojos, todo yo soy un cúmulo de dolor satisfecho.

Veo, a los pies de su sepultura, un jarrón, una docena de rosas blancas. La terrible verdad me aniquila de un solo zarpazo. Jadeando, sin poder moverme, grito, grito, grito. Había yo matado a Berenice. Me engañaron otra vez.

Cada minuto de mi vida lo dedicaré a destruirlo. A recuperar a Berenice, a intentar que me perdone.

Es jueves, de nuevo.

LA MUERTE A HUEVOS

Una aburrida tarde tuve mi primer fogonazo trascendental: morir. Era mi única escapatoria. El primer problema que se me presentó fue el del complicadísimo acto de "pasar a mejor vida". Si no se tiene alma de suicida, se ve uno obligado a renunciar a todas las fantasías macabras y quedar totalmente vivo. Así pues, desfilaron varios meses, mientras sufría del mal humor de no saberme morir.

Lustros ha, perdí a mi amada esposa; un sombrío duelo me anegó. Evoqué el *surmenage* y la meningitis, aunque aún tenía esperanza en la vida; lo sé hoy, que voy a morir a huevos.

En aquel entonces supe que yo, desemparejado, era un ser incompleto, marchito, sin caso. Como salvaje galopé tras el amor, tropezando entre ridículos desatinos. Qué horror mi mediocridad cocinada con impotencia.

Una mañana, tuve que ir a recoger un paquete a correos; el dependiente que lo buscaba no estaba dotado de grandes luces, por lo que en tinieblas intentaba encontrarlo. Desesperado, rodeado de gentes horrorosas y empolvadas montañas de bultos, casi no me podía mover. De pronto, grandiosa, me deslumbró una visión: los huevos. En la entrada de correos, un exitosísimo puesto de "pollas" congestionaba el paso. Al llegar, había cruzado entre los ávidos clientes gesticulando mi desaprobación, ¡qué barbaridad!, estos ignorantes ni sospechan que, a la larga, los huevos son un arma mortal...

Arma mortal... exquisita arma mortal... La triste oficina desapareció, no podía creer la solución milagrosa: ¡MORIR A HUEVOS!

Abandoné el paquete, bajé como acróbata la apiñada escalera y quedé en primera fila. Hipócrita, mi mano temblorosa rozaba un huevo dormido en su multicama de cartón. Era mediodía, los clientes gritaban por su elíxir con dos yemas; yo quedé paralizado, aquello era demasiado para mí. Dudé, una yema, dos yemas; la pedí con tres. En éxtasis, lenta, muy lentamente, sorbía mi "polla" y, sin poderlo evitar, con la mano izquierda, acariciaba mi estómago como queriendo explicarle lo que ocurría. La alborotada clientela me fue echando hacia atrás a codazos. De lejos, lo mismo que un enamorado, admiraba devoto la frágil huevera que, transparente, se columpiaba en el techo del puesto.

Yo no recordaba dónde había dejado el coche; pero no me importó, ya que en ese estado ni siquiera podía manejar; ido hacia adentro de mi barriga, tropezaba, tenía que cruzar una calle, salir a mi epidermis, oír y ver y qué es lo que veo: un hombre con una caja atada por un mecate, una red llena de limones y una botella roja, si mis ojos no me engañaban, llena de salsa de chile piquín. Se dirigió apresurado a una puerta verde abierta bajo un gran letrero: "Baños". Me inundó una ola de saliva. Me sequé la boca y entré hasta la mesa-toallero sobre la que el hombre colocó el tesoro: ¡Huevos de tortuga!, un gozo inesperado con que el destino aplaudía mi decisión. Tomé una de esas joyas con delicadeza, observé su piel suave dentro de la que adivinaba el placer, lo acaricié tímidamente, sentí sobre la palma de mi mano la temblorosa frescura de aquel huevo; pospuse nuestro contacto, prolongué el juego amoroso. Por fin, rasgué con ternura su pellejito, cuidando de no lastimarlo. Ya no resistía más, pero no quería precipitarme. Tragué saliva, sonreí, exprimí gotas de limón en su divino interior, lo aspiré, lo sentí descender como un bálsamo dentro de mi paladar. Otro huevo más, ahora casi con violencia; lo estrujé, lo desgarré y con pasión lo llené de chile piquín, lo devoré excitado.

Fue sólo el comienzo.

Durante años había mantenido a raya mi delirio insaciable por los huevos. Hoy, libre mi fantasía, descontrolada mi gula, los veía amarillos a punto de ser desflorados, rojizos de erotismo: los olía, los tocaba y me relamía al cocinarlos. Los lengüeteaba, los comía con las manos para luego chupármelas. Me provocaban por igual todas sus personalidades: fritos, poché, tibios, duros, ahogados, rancheros, albañiles. Reviví mi glotonería de la infancia, con unas yemitas azucaradas que antaño me servían a media tarde en una pequeña taza de plata.

Fogoso, recorría la ciudad para encontrar huevos; ellos lo eran todo; mis menesteres de este mundo perdieron sentido ante mi inminente adiós. Mis amigos, generosos, siempre me regalaban exóticas recetas, sin embargo, en las comidas con ellos perdía demasiado tiempo en la sobremesa, a pesar de que aprovechaba para degustar cinco o seis rebanadas de "brazo de gitana". Me desviaba de mi dieta a tal punto, que en ocasiones ya no podía con mis cuatro yemitas azucaradas cuando llegaba a casa. Además, descubrí el rompope: frapé para el aperitivo, varias copitas con el café. Encontré una cantimplora con las iniciales de mi bisabuelo, era grande, ya nunca me separé de ella, ni me pareció estorbosa; cada mañana la cargaba de placer de ron y huevos.

Pero con todo y todo, fue el huevo de borracho el que cambió mis horarios con la mejor de las pollas: jerez tres coronas y dos huevos callejeros y madrugadores.

Decoré mi departamento en amarillo y blanco: sillones, cojines y alfombras. En la pared más larga de la sala empotré de lado a lado y de techo a suelo, una pollera muy iluminada, protegida por un enorme cristal; parecía llenar todo el salón; en ella, calientes y amontonados sobre incontables repisas, vivían más de 900 pollitos a los que observaba arrobado. Era un móvil fijo que representaba el paraíso.

Cada día me sentía mejor, el amor tan ansiado, la pareja soñada, habían tomado sus dimensiones reales: eran pequeñeces seguramente alimentadas por una salud defectuosa. El huevo resulta excelente para el estómago, los riñones, la apendicitis y la apoteosis. Mi único temor, entre tanta felicidad, era desear vivir de nuevo.

No obstante, tuve una severa crisis: me enhuevé. Era una sensación, una idea que había que combatir de inmediato. Hice un viaje en el que dupliqué mi dosis. Descubrí que era un complot en el que estaba comprometido mi inconsciente. Destrocé a huevos la conspiración. Fue después de este fallido sabotaje cuando empecé a notar una tonalidad amarilla en mi piel, en la clara de mis ojos; creí manchar mis trajes, oler a yema. Me alarmé sin necesidad, ya que un hombre distinguido debe de tener por lo menos un órgano delicado.

La semana pasada dije adiós a mis amigos; me distraen y yo necesito concentración para el gran final. Di mi última cena: los hombres de etiqueta blanca, las señoras de amarillo. Yo vestí de negro. La preparó un chef extraordinario. Tuve dos caprichos; primero, una espléndida botana con sólo huevos de codorniz; el segundo fue que, mientras mis invitados saboreaban un soberbio filete en salsa de morillas, yo levitara con un manjar hasta esa noche desconocido: un huevo de avestruz a la Benedictine.

Me faltan tan sólo para "extinguirme en éxtasis", detalles insignificantes. ¿Cuántos huevos más?, ¿durante cuánto tiempo? He pensado consultar a un doctor, aunque ello sería mi último acto de ateísmo. Más allá del placer, el romántico atractivo de la muerte a huevos es que va ligada al corazón. El huevo produce magníficas cantidades de colesterol y el milagro ocurre sin ningún pormenor desagradable.

Soy un buen médico que nunca receto lo que no haya experimentado por mí mismo; prueba de ello es que antes de acabar con el hígado de mis amigos, acabé con el mío sin tenerlo enfermo. Me atemoriza hacer público el potencial de este manjar y lanzar a manadas de fanáticos a morir a huevos, pero sé que con mi sacrificio, la gallina y yo legaremos a la humanidad una ovoide solución a sus problemas existenciales.

FELISLUZ Y LAS SILLAS

Felisluz casi nunca entraba al salón de Tía Eulalia, sólo de reojo conocía a las sillas; no entraba porque los sillones la aterraban. Eran viejos ogros dormidos, enormes y con su piel sucia y escamosa en donde vivía el polvo, el furioso polvo que se la tragaría si lo molestaba.

Un día, Tía Eulalia los destripó. Felisluz, poniéndose colorada, vio sus calaveras de palos y resortes todas mordidas. Pobrecitos sillones, era casi increíble que hubieran sido tan malos; pero cuando se los llevaron, ella no pudo dejar de sentir un gran alivio. Otro día regresaron, muy contentos, ligeritos y vestidos como canarios amarillos; la niña pensó que les habían operado al ogro que tenían dentro y que ya eran buenos; imaginó que si les abría todas las ventanas podrían aprender a volar.

Mientras Mamá y Tía Eulalia, incallables, bordaban en el costurero, Felisluz sigilosa se deslizaba dentro del salón. Aunque los sillones ya casi le caían bien, aún no dejaban de ponerla nerviosa, así que estaba nada más un rato. Volvía cada tarde y poco a poco fue conociendo a las sillas; le fascinaban, las pensaba misteriosas y tan interesantes como los secretos de una joven ya mayor. Había muchas y Felisluz no lograba contarlas; notó que les gustaba sentarse en círculo alrededor de una mesa. Empezó a tantearlas con los ojos, con los oídos, con la nariz, pero no se atrevía a tocarlas. Una tarde se acercó al grupo de las verdes y las vio como si fueran una suma que por primera vez le hiciera el total: eran cuatro, aparentemente igualitas y, al parecer, se entendían entre ellas.

Felisluz descubrió algo mucho más importante. ¡Todas las sillas estaban sentadas!

Las sillas verdes presumían a la manera de las más aplicadas de la clase; tal vez eran así de chocantes por estar tan cerca de los libros, como dando a entender que ya los habían leído todos; por ser "sillas bien" tenían su regazo suavecito y vestido de terciopelo, su talle de monja chupada de madera clarita y un chal de marquetería parecido al de Tía Eulalia. La mesa que se paraba entre ellas era alta, de modo que las sillas verdes siempre fingían estar estudiando, sentadas muy derechitas con sus piernas firmes, aunque las tenían muy flacas y retorcidas. ¡Qué odiosas! El consuelo que le quedaba a Felisluz era que, de seguro, no habían hecho su primera comunión como ella, que desde entonces comulgaba cada domingo.

Las verdes dejaron de interesar a Felisluz en cuanto descubrió a las azules: pequeñas, como de su edad, gorditas, más fuertes y mucho más amigables. Sin atreverse a tocarlas, se les ponía muy cerca tratando de parecer una de ellas. Estas sillas-niñas eran dos, sentadas cada una al lado de una gran cama-sillón Imperio (así la llamaba Tía Eulalia cuando había visitas). Esta gran cama-sillón le hacía temblar con su apariencia de feroz madrastra acojinada. Felisluz, muy suspicaz, dedujo al instante que era la madre de las niñas, ya que las vigilaba y también se vestía de azul. Sobre la madrastra dormitaban varios cojincitos que enternecieron a la niña, pues supo que al crecer serían sillas gorditas; le chocó la frialdad de la madrastra con sus cojincitos, pero tuvo cuidado de que no se le notara el coraje. Las niñas azules, a diferencia de las verdes, llevaban un casto uniforme de colegio que las cubría por completo.

Una tarde, Felisluz, acuclillada junto a la que le parecía la más simpática niña-azul, empezó a sillemimetizar.

Su antiguo cuerpo de niña le causaba un serio problema de equilibrio: sus ex manos tenían que descender, rectas junto a su talle, hasta apoyarse en el suelo como patas traseras; al levantar las rodillas, su regazo se hundía hacia atrás amenazando a los huesos de su pobre espalda. Pero nada le importaba. Para ella, convertirse en Felislusilla era sólo cuestión de tiempo.

Otro día, sillemimetizando, giró hacia la izquierda sobre sus cuatro patas y descubrió otro grupo de sillas que de inmediato supo que venían del trópico: su cascabeleo costeño y su olor a plátano dulce las hacía parlotear todas al mismo tiempo y estar siempre alegres y desordenadas. Eran blancas y de su cintura caía, casi hasta el suelo, una amplia enagua bordada en mimbre que sólo dejaba al descubierto la punta blanca de sus zapatos.

Las frescas sillas tropicales eran huérfanas, pero tenían una obesa hermana mucho mayor, seguramente solterona, que amedrentaba a una mesita transparente y blanca de miedo que estaba frente a ella, y a otra, a más distancia, también pálida y a punto de desmayarse. Bailoteando tonterías alrededor de las mesas paralizadas, las tropicales se habían adueñado de la parte más alegre y soleada del salón: una gran jaula de vidrio con puerta al jardín.

La solterona y sus hermanitas usaban tantísimo polvo de arroz que uno podría creer que eran blancas. A Felisluz le recordaban a alguien muy querido, pero su cabeza le jugaba escondidillas y no lograba encontrar lo que andaba buscando; hasta que un día pescó a su cabeza descuidada y supo que la solterona era su nana Concha, muy morena y con el pelo lleno de chinitos, y que las sillas jovencitas eran el vivo retrato de sus dos sobrinas: Marina y Estrella, también gordas y cantadoras. Felisluz se moría por acurrucarse en ellas, sobre todo en nana Concha, pero la amarraba el terror de que un estornudo o un leve suspiro las desblancara dejándolas furiosas y vestidas de negro.

Felisluz sentía que de noche pasaban muchas cosas en el salón; imaginaba a los sillones amarillos ensayar sus primeros vuelos, a las mesas pastando sobre sus tapetes y las sillas en fiesta frente a la chimenea; sin embargo, mientras Felisluz siguiera siendo niña, no jugarían con ella, por eso siempre le pedía a Tía Eulalia que le regalara un uniforme igual al de las sillitas azules, pero Tía Eulalia sólo reía a borbotones, alocando sus dos papadas.

Mamá, desesperada por la sillosa conducta de Felisluz, decidió hablar con ella; la encontró de inmediato mimesillándose. Al entrar al salón de Tía Eulalia cogió por el pescuezo a la primer silla verde, la dejó a un lado y echó sobre ella el bordado que traía en las manos; la niña sorprendió la servil actitud de la primera silla verde y a pesar de la furia antipática que le tenía, se compadeció al verla tan indigna con las patas al aire. Mamá se sentó sobre la madrastra. Mamá, sentada, era una silla perfecta. Sin darse tiempo a pensarlo, Felisluz se asilló en una de las azules, con los brazos lisos y muy derecha la espalda; sintió su postura perfectamente corregida. A partir de ahora, ya no tendría que hacer equilibrio. En eso no se había equivocado, había sido cuestión de tiempo: Felisluz, por fin, era ya Felislusilla.

Soy una mujer normal y satisfecha.

Aquí en la antesala del doctor Freud, tiemblo de expectativa al ir a traspasar el umbral de un santuario al que muy escasos elegidos llegan. Pero ellos tienen problemas, traumas, como ahora se les llama, y yo no. ¿Qué voy a inventar para justificar mi consulta? Mi matrimonio es perfecto, mi marido uno de los diplomáticos más respetados, viajamos rodeados de comodidades. No he esperado hijos, ni los he querido aún. La gente me estima. Voy a decirle al doctor Freud cuánto lo admiro, que he leído con gran entusiasmo lo que ha publicado, que sé de sus curaciones milagrosas, que tengo enorme curiosidad de conocerme mejor a mí misma. Lo único que no puedo confesar es que no tengo ningún problema.

—El doctor Freud la espera.

Un cosquilleo en la garganta me despierta el temor de un ahogo que pudiera malograr esta cita conseguida con tanto esfuerzo. Sólo son nervios. Desde hace años controlo a la perfección aquel problema de la infancia.

Uso mi sonrisa más seductora, frases mundanas con un fino ingrediente de humor, con las que pretendo se traduzca mi cultura. Tengo que despertar su interés. Me urge ser aceptada por él.

Al doctor Freud lo adivino a contraluz, únicamente me es clara su silueta. Al acercarme, sus ojos entran dentro de mí, soy transparente ante su mirada que todo lo sabe. Me sonrojo, por momentos me invade la angustia de asfixiarme, la amenaza del asma. El doctor me dice frases amables que no escucho, su mano señala el diván, cubierto por un tapete persa en el que me recuesto, apoyando la cabeza sobre cojines que me parecen hechos de un material desconocido, de una levedad en la que me dejo ir. Una paz olvidada desde hace muchísimos años, desde antes de ser niña, me arropa. Me envuelve una dulce somnolencia, la penumbra me acuna. Guardamos silencio.

El sillón del doctor está colocado tras la cabecera del diván, de modo que no puedo verlo, vibro alterada por su cercanía. Los libros invaden las paredes, el escritorio de Freud. En los estantes, en las mesas se multiplican figuras egipcias que hablan de otro Sigmund Freud. La penumbra es dada por pesados cortinajes corridos que nos envuelven a los dos solos, lejos del mundo real.

Es absurdo, debo hablar. Busco las palabras pues tienen que ser las perfectas, las únicas adecuadas. Llevo medio año luchando por obtener esta cita, nada la puede estropear. Conocerme mejor ¿y para qué?, si me siento tan satisfecha conmigo misma, con mi vida. Mi infancia fue tan feliz.

La frase se inmoviliza frente a mí. Las primeras lágrimas corren escondiéndose entre mi cabello, y vienen muchas más que empapan mis mejillas, que humedecen el cojín. ¡Qué tontería estar llorando! Y la frase regresa: "Mi infancia fue tan feliz". No sé si Freud me habla; encogida, me oigo llorar con el llanto pequeño y triste de la niñez.

Mi voz me traiciona.

—Soy sorda. Perdí el oído derecho a los cuatro años, una infección. Sólo oigo de este lado.

Esta confesión inesperada aumenta mi llanto.

Cuatro veces por semana regreso al diván del doctor Freud. Mi alma, mi interior intenta desarreglarse, digo palabras que no pienso, lloro sin motivo. La vida cotidiana me vuelve a la normalidad. Voy al teatro, encuentro amigos. Sí, perdí el oído derecho, pero he compensado muy bien esta carencia, no ha tenido importancia, nadie lo nota.

El doctor Freud no pregunta, sólo insiste en que le diga todo lo que me venga en mente, que no omita nada, por poco importante que pueda parecerme. Me fuerzo a contarle, con lujo de detalles, las recepciones a las que asisto, las conversaciones con personas que creo que él consideraría interesantes. Temo que con tantas palabras intento llenar un vacío dentro del cual hay algo, que quiero y no quiero conocer.

—Mi madre fue una gran pianista, concertista, sin embargo, a mi esposo y a mí no nos gusta la música. Mi marido tocaba bastante bien el violín, antes del accidente. Es tonto hasta haberlo mencionado, eso ocurrió hace tanto tiempo, antes de casarnos.

Lloro horrorizada, al recordar sus manos.

—Nunca me había importado el accidente de mi marido, y ahora se me aparecen constantemente sus manos que jamás he visto, las de mi padre que casi no recuerdo. Sus manos, las de mi marido, son manos buenas, suaves, incapaces de hacer daño. Qué desatino lo que estoy diciendo. Olvídelo, doctor.

Con Freud a mi lado, con Freud ausente, las manos reaparecen, me persiguen, me dan horror, pero son manos con dedos, dedos finos, dedos muy largos: son las manos de mi madre.

—Doctor, siempre las veo tocando el piano. Ayer tuve un sueño espantoso: ellas tocaban mutiladas y la música no se oía. Me asfixié hasta perder el sentido.

Y vuelvo a ahogarme en ese llanto desolado, llanto que me va pareciendo inconsolable.

—Doctor, estos ahogos son nuevos. De niña, desde que nací, tuve asma, visité a todos los doctores, ninguno pudo curarme. Los ataques sólo me daban en las noches. Descubrí, años después, que me los provocaban los aromas de las plantas, de las flores en las noches de verano, su sólo recuerdo me ahogaba aún más que los olores, que el calor, con más fuerza. Hay que cerrar las puertas, las ventanas, huir del jardín, no recordar, jamás pensar en él. Anoche estuvimos en la embajada de Francia. Cada día admiro más a mi marido, es maravilloso: tan culto, siempre dice lo correcto, todos lo respetan. Fue una recepción magnífica. Los invitados estaban serenos, hermosos. El mundo era normal, ordenado, agradable. Estaba un pianista que tocaba música de fondo, era un virtuoso, interpretó un vals bellísimo. Doctor, ayúdeme, no puedo respirar.

Me incorporo del diván, el doctor Freud no se mueve. Logro sentarme. Con la voz entrecortada por el escaso aire que puedo aspirar, voy escupiendo a borbotones las palabras.

—Mi madre tocaba valses, sus dedos me daban mucho miedo, mi marido los perdió en el accidente. Es un hombre muy bueno, incapaz de hacerme daño. Claro que ella tampoco. Es ridículo estar diciendo que sus dedos me pudieron dar miedo.

Hasta ahora que conocí a Freud, me ha vuelto la vieja asfixia casi olvidada. Se parece al asma pero es diferente. Me da miedo dormir pues sueño cosas horribles que no recuerdo. A mi pecho tan cansado le falta el aire, ya no respiro, la opresión es cada día mayor. No es el olor del jardín, es la atormentadora amenaza de las manos. Afortunadamente llega el verano y con él un gran alivio. Alivio de alejarme de Freud, de las manos. Nos vamos a un hotel a la orilla del mar. Las manos desaparecen. Desde la primera noche me estrangula el asma, con una rabia sorda. La siento un castigo por acordarme de cosas, por haberme alejado de Freud. De nada me sirve el pensamiento de que durante el mes de agosto el doctor suspende su consulta. No sé qué falta tan espantosa haya cometido para que me esté pasando esto. Las manos mutiladas de mi marido no me apenan, no me importa que se las vean, es un hombre extraordinario. Mi padre no logró protegerme. Él me quiere. Mi madre fue una mujer famosa, mi padre no era nadie, no se le tomaba en cuenta. Mi marido, a su edad, ya es reconocido, respetado por todos. Siempre le encomiendan los asuntos más delicados. Él nunca me va a fallar. Sus manos, Dios mío, quisiera no haberlas visto, estar ciega. Son monstruosas.

Es intolerable mi estado de salud, regresamos a la ciudad desierta antes de tiempo, y respiro. A pesar del calor, cada tarde doy largas caminatas que invariablemente me llevan frente al edificio del consultorio del doctor Freud. Me siento mejor. Mi marido me tiene paciencia, es una persona noble y generosa.

Estoy convencida de que sólo el doctor Freud podrá librarme de mis ingratos pensamientos. Necesito a mi marido, lo quiero y no le puedo perdonar su deformidad. Yo lo enseñé a actuar sin vergüenzas, a usar sus muñones, su tragedia me parecía heroica, y ahora me asfixian sus manos como si tuvieran dedos, lo contrario, porque no tienen dedos.

—Doctor Freud, estuve muy enferma, sólo usted me puede curar las manos, quiero decir el asma. Vine a verlo por otras razones. No sé por qué lloro, por qué me ahogo. No sé qué me está pasando, me desmorono, mi corazón petrificado ya no late, mi cabeza ya no ve con orden, dice cosas inmundas. Algo dentro de mí se está rompiendo.

El diván no respeta la secuencia del tiempo, mezcla

recuerdos divididos por miles de años, no respeta la coherencia, una idea se une a otra por mero capricho. Hay ocasiones en las que me parece que, acostada en él, me cuento historias a mí misma, iguales a los cuentos que me contaba mi nana, ya con la luz apagada y una vela cerca de nosotras.

—Toda la vida pasé los veranos en la casa de campo, con mi asma, con mis padres. En el salón de música hay dos grandes puertas de vidrio que se abren a una amplia terraza que domina el jardín. La cola del piano de mi madre se dirigía hacia ellas, de modo que la gran concertista tocaba de noche para un público de árboles, arbustos y macizos de flores, mientras yo me ahogaba. Había otra puerta más, que también mi madre abría para formar una corriente de aire. Esta puerta quedaba casi atrás de ella, desde ahí yo veía correr seguros y fuertes sus largos dedos sobre el teclado. La sabía tan lejana, con su espalda muy recta y muy fría, con su estilizado cuello en el que se formaban pequeños rizos escapados de su peinado recogido en alto.

Siempre que hablo de mi madre me sorprenden las cosas tan absurdas que digo. Mi enemiga, mi garganta, es más fuerte que yo y logra ahogar el sonido de mi voz. Observo el techo perdida en él, sin pensar en nada. El pavor me hace sudar frío, abrazarme sola, con las manos heladas.

—Me excita el hecho de que van a condecorar a mi marido, es un reconocimiento maravilloso, me da tanto gusto por él. Su accidente, mis estúpidos pensamientos. Ya nada es importante, sólo sus éxitos. Cada día me siento mejor, recupero fuerzas. Los preparativos de la gran noche y la emoción tan grande toman todo mi tiempo. Vuelvo a reconocer en los muñones de mi marido, a las manos lastimadas que siempre me han protegido, a las manos

114

buenas con las que he vivido en paz tantos años. Sigo viendo al doctor Freud, que ahora me es indiferente. Qué ideas malsanas logró meter en mi cabeza, cómo fue capaz de ensuciar así mi corazón. En las sesiones estoy distraída. Le hablo de los planes de la condecoración, le insisto que nos acompañe. La pesadilla que viví durante estos meses se esfuma. Fue un error terrible haber venido a verlo, mas no se lo digo. Él cree controlarme, manejar a su gusto mi cabeza, hacerme alucinar, lastimarme cuando se le viene en gana. Lo que no sabe es que ya me liberé de él, que soy yo la que lo tengo en mi poder. Al terminar septiembre no voy a regresar, estos últimos días me han demostrado que no tengo ningún problema, que pude más que el gran doctor loco. Gozo mi secreto.

Antes de la fiesta tengo un sueño espantoso, del que despierto empapada en sudor y temblando, pero no puedo recordarlo. El sueño vuelve y vuelve, es tan espeluznante que me paso hasta el alba despierta por miedo de perderme en ese infierno desconocido. No le digo nada al doctor Freud.

La noche anterior a la condecoración, como cada noche, volvió la pesadilla. Poco a poco, enroscada en el diván, el recuerdo va llegando. Debo de callar, borrarlo.

—Doctor, tuve un sueño espantoso, no sé si fue un sueño o me martirizo sola imaginándolo, con la luz apagada, acostada así, igual que ahora. Mi madre tocaba, un bochorno dulzón se metía desde el jardín. De repente mi padre estaba a su lado, ella se puso de pie. Él gritaba furioso, yo temblaba, mi cabeza iba a explotar llena de sangre hirviendo, mis oídos cerrados no escuchaban. Con la mano abierta golpeó en la cara a mi madre y en el momento de tocar su mejilla, su mano quedó mutilada como la de mi marido. La condecoración cayó al suelo, rodó por debajo del piano hasta los pies de mi madre.

115

Doctor, tengo terror, terror de que mi padre me pegue a mí y yo me quede sorda. No quiero volver a mi casa, no puedo oír lo que dicen, no puedo separarme de usted. No me abandone.

Salgo de la consulta con la angustia prensada en la garganta, obstruyéndome el pecho y no me suelta. A las siete, en Palacio, frente al cuerpo diplomático y a los políticos más renombrados, yo sólo oigo el tintineo de la condecoración rodando sobre el piso de madera. No hay lógica, como si en lugar de prender la medalla en el pecho de mi padre, se la dieran a mi marido, quien con sus manos mutiladas no la puede detener. No oigo, no reconozco a los invitados. Mi marido intenta ayudarme. Huyo corriendo, sola.

—Doctor, ya son muchas las manos que me persiguen. Es pavoroso.

La persecución de las manos se va volviendo diabólica, la angustia me ahoga, ya no sé si es o no asma, antes siempre me ocurrían los ataques de noche, y ahora en cualquier parte, en lugares cerrados lejos de las plantas, lejos del calor. Las manos de mi marido se han convertido en una obsesión, no quiero volver a verlas. Ésas no son las manos malas, las que me odian. Veo dedos de manos gruesas, burdas, dedos que se caen y entonces las manos son las de mi marido, pueden matarme. Sé que algo terrible se cierne contra mí, y sé que ya nada más ansío la paz, no volver a ahogarme, no volver a oír, descansar.

—Es curioso, doctor, pero cuando las manos me persiguen yo soy aún una niña muy pequeña, tal vez de cuatro años. El día que mi padre le pegó a mi madre, no apareció de repente, entró como escondiéndose desde el jardín por la puerta de enfrente. Yo no me atrevía a respirar, paralizada de ser descubierta ahí, agazapada, espiándolos. Ella no dejaba de tocar, lo hacía cada vez más fuerte, más frío. Los gritos de mi padre se revolvían con las notas atronadoras del piano. Yo no podía ver su cara, él estaba de espaldas hacia mí, solamente pude ver su mano brutal cuando la abofeteó, su mano ancha, pesada, velluda.

Me ahorca, por primera vez, un ataque de asma, hundida, indefensa en el diván. El doctor Freud me ayuda. Guardo reposo durante varios días. Le pido que me interne, pero él se niega, dice que debo seguir adelante, que estoy muy cerca de mi verdad. Accedo, ya que es una verdad que no puedo eludir, que es ella la que me persigue.

—Doctor, es mi miedo el que deforma las manos, el que las vuelve grotescas. Las manos de mi padre son delicadas, casi femeninas. De pequeña siempre pensé que eran mucho más débiles que las de mi madre.

El doctor me anuncia que mi tiempo de esa tarde ha terminado. Me fuerzo a levantarme, no hay tiempo para llorar. Salgo seca. Absolutamente seca, por fuera, por dentro. Una inquietud lúcida, enervante, me pide regresar a pie a la casa. Paso a paso, veo claramente cómo mis lágrimas, mis ahogos en el consultorio sólo son una cobardía, que con ellos trato de inspirar lástima a Freud para que no me abandone. No nací con asma, mi primer ataque lo tuve aquella noche horrible, caliente, sudorosa: la noche en que mi padre golpeó a mi madre. Mi asma me protegía de la brutalidad de él, de las manos frías de ella.

Casi cedo al impulso de correr al lado de Freud para decirle lo que acabo de descubrir, que encontré mi verdad, que el asma es una mentira.

—Doctor, ayer descubrí que esa mano velluda, de animal, no es de mi padre. No son mis palabras, ni mis pensamientos. Alguien habla por mí.

Me ahogo, de tal forma que una ambulancia me transporta del consultorio al hospital. Freud va diario a visitarme, pierdo y recupero la conciencia sin sentirlo, sin importarme. Me alivio. Tengo miedo. No quiero abandonar el hospital. Una tarde descubro una semejanza entre las manos de una religiosa que me atiende y las de mi madre. Los estados de semi-inconsciencia, que tanto me tranquilizaban, ahora me dan pánico, estoy a merced de esas manos.

No puedo diferenciar los sueños, los pensamientos y la realidad, todos se mezclan, se sobreponen formando una escena que reviene incesante atormentándome: soy una niña muy pequeña, mi nuca sólo alcanza el filo del teclado del piano de mi madre. Hace mucho calor, el sudor de la noche y el jardín invaden el salón de música. Estoy atrapada contra el piano, mi cabeza echada hacia atrás sobre el teclado intenta inútilmente alejarse de las manos de mi madre, quien sentada en el banco, sin verme, se prepara para tocar. Sus dedos largos, blanquísimos, se convierten en teclas que se aproximan a mi cuello. Me van a ahogar, a hundir, a desaparecer dentro del piano cuya cola de madera oscura se va cerrando como un ataúd. Intento gritar y no sale ningún sonido de mi boca, un collar de teclas me ahorca, la música me ensordece, logro cubrirme con la mano mi oído derecho. Por fin un grito y la alucinación desaparece.

Ya no puedo vivir así; la mirada del doctor Freud me volvió loca.

Al regresar a casa el amor, los cuidados de mi marido son un sedante. Me siento más serena, aunque no sé si volveré a ser la misma persona que fui antes de conocer a Freud. Lo odio. Intenta destruir mi vida, pero no se lo voy a permitir.

—No lo voy a ver más, doctor. Ésta es la última tarde, la última vez que me recuesto en su diván. Mi marido, que no sabe de estas cosas, me ayuda mucho más que usted. Me casé con él porque no tiene manos, no, porque es muy bueno. Es muy bueno porque no tiene manos. Algo nuevo que usted me hace decir, y como todo lo demás, exageradamente peculiar. Lo nuevo que sé de mí misma me ha hecho muchísimo daño, todo este sufrimiento que he inventado, que usted me ha hecho inventar. Conocer tonterías de mi pasado en nada me ayuda. Qué más me da saber por qué me casé con mi marido, que no nací con asma, que me daban miedo las manos de mi madre, que mi padre la abofeteó. No fue mi padre, fue esa mano peluda, de animal. Doctor, no se vaya, ahí viene ese hombre, lo estoy viendo. "Hombre feo, malo, no te acerques a mi mamá, déjala tocar su piano". Todas las noches se mete así, como un ratero. Hace mucho calor. No puedo respirar porque me van a descubrir espiándolos, me van a matar. "¿Por qué hablas con él, mamá, si es horrible, es malo, te va a hacer daño?" La espalda del hombre es enorme, está muy cerca de mí. "Me tienes que llevar contigo, irnos muy lejos de mi marido, de mi hija, de esta casa. Estoy harta de todo." Quisiera poder gritarle "mamá no digas esas mentiras, no las repitas jamás, jamás. Yo te quiero mucho." Mamá sigue tocando el piano, el hombre le grita pero ella sigue tocando aquel vals. "No voy a oír lo que dices, mamá, no voy a oír". El hombre levanta el brazo, va a destrozar a mi mamá con su mano peluda. Golpea las manos de mamá sobre el teclado, las hunde en el piano. Sólo veo su mano de animal sudorosa, ensuciando las teclas tan blancas, las manos de mamá. Rompiendo los dedos, llevándose los dedos de mamá. "Mamá, voy a ser buena, ya no voy a oír cosas feas, ya no voy a respirar." Doctor Freud, doctor Freud, ya no oigo la música, me ahogo. "Mamá, no te vayas, Freud no me abandones".

Después de tomar la decisión de irme a radicar al campo, me sentía inquieto y triste. Empecé a ver con ojos nuevos mi espacioso departamento; había vivido tantos años en él que ya era parte de mí mismo. Mis manías de solterón se fueron casando con él, y con los objetos que habían llegado a ser mis más cercanos familiares; el sólo imaginarlos fuera de su sitio me angustiaba, pero ya no tenía oportunidad de dar marcha atrás. Había alquilado mi departamento a una pareja y debería abandonarlo antes de quince días.

Aquí, me siento obligado a ser sincero y aclarar que empecé esta historia con una pequeña mentira blanca: no fui yo sino mis tías las Conchas quienes decidieron que me fuera a vivir al campo. Una Concha era prima y la otra hermana de mi padre, señoritas de edad que, después de muchas misas y caridades, concibieron la idea fija de cuidarme, como lo hicieron cuando fui niño. Ellas se aburrían en nuestro pequeño pueblo, y yo no supe gritar ¡no! Acorralado, me iba a vivir al campo, cerca de mis tías las Conchas.

Toda la vida he tenido un grave problema que me ha hecho muy feliz: la absoluta imposibilidad de comprometerme con nada, y mucho menos con alguien, ni siquiera con ideas propias que llegado el caso tuviera que defender. Se me desarrolló un punzante humor negro del que he disfrutado sin límite.

Sólo creí tener dos pasiones: los libros y mi viejo sillón rojo; pero la obligada idea de tener que abandonar mi departamento me fue diciendo que algo más me iba a faltar: las librerías, las tardes en el café, las charlas intrascendentes con los conocidos.

Mi recrudecido marasmo permanecía intacto hasta el 10 de julio, cinco días antes de la fecha en que deberían mudarse a mi departamento los futuros inquilinos. El viernes muy temprano aparecieron los embaladores que, en un acto de heroísmo, había yo contratado el día anterior. Llegaron con sus cajas de madera, las que después de irse tragando todo lo mío, se fueron apilando en mi recámara hasta que sólo quedó libre el espacio de mi cama; luego invadieron el comedor, hasta que éste desapareció. La mesa redonda del *breakfast* se instaló en la sala con tres de sus sillas, desfigurándolo todo. Logré salvar varios libros, algunos platos y vasos, mi saco de pana gris y dos mudas de ropa; nada más eso: los embaladores eran implacables. El martes llegarían los inquilinos, así que hice arreglos para que ese día un camión de mudanzas se llevara las cajas, y a mí como una más, y no se detuviera hasta dejarnos de nuevo apilados en "mi casa de campo".

Los embaladores terminaron su trabajo el viernes a las seis de la tarde; me serví un whisky y me senté a beberlo en un rincón de la sala desfigurada. Ya no reconocía mi departamento; el único que seguía siendo el mismo era mi viejo sillón rojo. No tenía el valor de "volverme loco un rato" —lo que siempre me daba estupendos resultados—, pues me sentía al borde de una crisis de nervios, algo insólito en mí.

Aún bebía cuando oí mucho ruido en el pasillo, voces, órdenes y el timbre sonando. Quedé inmóvil al abrir la puerta, como cortando el paso a los inquilinos que acababan de llegar. La mujer estaba segura de que el departamento era de ellos desde ese día. Yo dudé. El marido dudó. Traté de convencerlos de que se habían adelantado por cinco días. Les recordé que apenas estábamos a 10 de julio. Inútil. Les serví un vaso de whisky que aceptaron sin cortesías. Me senté en mi sillón, sintiéndome mucho más protegido. Ellos, agotados, se dejaron caer en las sillas de la mesa redonda.

Me sorprendió la belleza de la mujer y lo incoherente de su conversación; de su belleza, el descuido con que la llevaba; de su plática, los constantes destellos de inteligencia, siempre desordenados; del marido, su tristeza hastiada, al punto que sólo cuando no tenía alternativa, mascullaba algo tan confuso e incompleto que podía significar eso o todo lo contrario; después, se abstraía en el fondo de su vaso, que mecánicamente volvía a llenar con regularidad.

De nuevo sonó el timbre. El hombre se levantó a abrir la puerta, como quien ya ha tomado posesión de sus dominios. Eran las cajas de madera de los inquilinos, idénticas a las mías. Los cargadores las fueron metiendo de cualquier modo hasta llenar el departamento.

Las cajas habían formado un pesado laberinto que, partiendo del hall, se perdía en estrechos corredizos: uno hacia sala y otro hacia la cocina; del claro de la sala otro corredizo, aún más estrecho, se hundía hasta mi cama, y otro, más largo, llegaba a la recámara de visitas.

Haciendo gala de una paciencia que en absoluto correspondía a mi total desasosiego, les di breves explicaciones que juzgué pertinentes: pasaríamos ciertas molestias hasta el martes 15 de julio, y no pude reprimir una mordaz sonrisa al agregar: "día de nuestra cita"; el martes, después de darles la bienvenida, partiría con mis cajas y mi sillón rojo. De momento, se tendrían que acomodar en la otra habitación. La mujer, sin molestarse en oír lo que yo decía, hablaba: "Se nos pueden confundir las cajas", "¿hay tina en el baño?" Sintiéndome llegar al límite de mi resistencia, canturreé con odio: "Bien, manos a la obra". Tenía que librarme de ellos en ese preciso instante. Levanté como si fueran plumas sus dos voluminosas maletas y, ya me dirigía al cuarto de visitas, cuando vi una maletita que pretendía pasar inadvertida, pero no lo fue para mí: la tomé con un deseo irrefrenable de mandarla al diablo. La mujer me la arrebató con fuerza: "Ésta no, es de él, y no va a dormir conmigo pues ya estamos divorciados". Solté las maletas desesperado y me hundí en mi sillón rojo evitándoles mi mirada. El hombre cargó las maletas de ella y las llevó a la recámara. La mujer, sin darle ni una vuelta, encontró la solución; obedientes el ex marido y yo cargamos en alto, por sobre el laberinto de cajas, una de las camas del cuarto de visitas y la acomodamos en el *breakfast*, donde había estado la mesa redonda. Compadecido, le ayudé a cargar el colchón y hasta a hacer su cama; le di una palmada en el hombro y salí sin despedirme. Habían bastado unos minutos para que la mujer invadiera mi baño; era el único en el departamento. El ex marido, en cambio, desde un principio ocupó poquísimo espacio; siempre estaba sentado frente a la mesa redonda, bebiendo acompasadamente. Para el sábado en la mañana, ya había acabado con mi provisión de whisky; entonces saqué ron, que empezó a tomar con la misma dedicación. Él me provocaba un sentimiento de pena, semejante al que causan los animalitos abandonados; comprendí que desde que entró en mi departamento, me heredó todos sus problemas. ¡Como si estuviera yo para proteger a este infeliz! Y ya lo estaba cuidando.

El sábado decidí comer fuera, en cualquier sitio. Salía, cuando me encontré la mesa puesta; el ex marido lo había hecho todo, desde cocinar hasta servirme un vaso de ron; la mujer había salido desde temprano. La comida fue de mi total agrado, ya que el ex marido la había elegido de mi refrigerador y de mi despensa. Comimos en silencio, yo intentando leer un libro, él observando el fondo de su vaso de ron. Hacía mucho tiempo que no comía tan bien en casa, el ex marido tenía una sazón estupenda. La sabrosa cena se desarrolló igual que la comida, con una salvedad: la mujer estaba en casa; de pie, picoteó un pedazo de pan, algo de verdura y se llevó un café y una manzana a su recámara; regresó a pedirme que en la noche dejara entreabierta la puerta de mi habitación. Yo, ridículo, me ruboricé, comprendiendo mientras lo hacía, que ella quería usar el baño antes de que yo me despertara. Avisó que al día siguiente vendría a comer y volvió a perderse en su laberinto. Yo tendría que volar el domingo al mercado, pues nuestros víveres deberían de estar ya muy menguados. Sí, tenía que volar para que al ex marido le diera tiempo de cocinar y preparar todo. Lo primero que puse en mi lista fueron seis botellas de whisky y seis de ron —ignoraba sus preferencias.

Preocupado por el ex marido, madrugué. El desayuno fue espléndido. Al mediodía llegó la mujer, tomó un poco de vino y nos sentamos a la mesa. A ella le extrañaba mucho nunca haber visto a ningún vecino dentro del edificio: "tal vez les dé miedo el elevador". Fumaba tranquilo un cigarro cuando oí como un disparo: "Por qué no retapiza su sillón, está a punto de desbaratarse". Me levanté sin contestar y, por su culpa, dejé para el martes el demoledor esfuerzo de empacar mis últimas cosas, hacer mi maleta y la preocupación de no equivocarme de cajas. Me sorprendió, al despertar el martes, que no hubiera venido el camión de mudanzas, que ni siquiera hubieran llamado. Comí con el ex marido; le gustaba más el ron;

fue a la hora que llegó la mujer cuando supe que el camión había venido a las siete de la mañana, y que ella lo despidió pues yo aún dormía; que llamaron hacia las nueve y que ella les dijo que yo no estorbaba en absoluto, y que no nos molestaran más. Le agradecí sin palabras que, por el momento, dejara las cosas como estaban.

Hilando frases aisladas de la mujer, me fui enterando de lo que ocurría: ella aún no había decidido cuál de los dos se quedaría con mi departamento, ni tampoco qué iba a hacer de su vida el ex marido.

En su compañía me volví más huraño y silencioso que nunca. Las cartas de las pobres tías Conchas quedaban sin abrir, la casa de campo se había convertido sólo en un desagradable recuerdo.

La mujer hablaba a menudo de las maravillas que tenía guardadas en sus cajas: vajillas, manteles, jarrones; al punto que llegué a estar convencido de que todas las cajas eran de ella.

Sufrimos pequeñas crisis ocasionadas por lo precario del espacio en el que vivíamos, pero nunca pasaron de ser eso: pequeñas crisis familiares.

Las semanas, a partir de aquel 10 de julio en que llegaron los inquilinos, fueron dividiendo territorios y solidificando costumbres. Nunca más volví a entrar al *breakfast* o a la cocina, ésos eran territorios del ex marido ex patriado; yo hacía regularmente las compras de víveres y las depositaba en la mesa redonda, de la que desaparecían por arte del marido amo de casa. La mujer aparecía y alegraba nuestro silencio, ya que era la única que hablaba. Llegué a ganar algunos kilos con tanta paz y buena vida. Después de comer me acomodaba en mi sillón rojo, en el que hacía la siesta. Ya desperezado, ponía música clásica y leía hasta que la cena me volvía a movilizar los cuatro pasos que me separaban de la mesa redonda; sin levantarme hojeaba una revista en la mesa, para luego retirarme a mi cama, en la que seguía leyendo hasta las cinco o seis de la madrugada. Lo que más alteraba mi vida era la presencia constante del ex marido a mi lado, quien estaba siempre bebiendo, cabizbajo; hubo ocasiones en que detuve el impulso de darle unas palmaditas en su mansa cabeza resignada. Las apariciones de ella tenían algo de encantador y fresco, por lo inesperadas, cortas e intrascendentes.

Una noche nos perdimos para siempre. La mujer llegó a deshoras; yo aún no acababa mi siesta; el ex marido apenas salía de su cocina y se serenaba con su vaso de ron. La mujer nos dijo: "Ayer abrí una de las cajas, era en la que está guardado mi candil de prismas rojos, pensé que se vería bonito, aunque fuera aquí, sobre la mesa redonda". Fue un golpe certero que partió el equilibrio de nuestra convivencia y coaguló nuestro infortunio en un denso adiós inamovible. Ella resintió el golpe de la irremediable catástrofe que sus palabras habían conjurado. Las mudanzas inminentes eran nuestra única promesa de permanencia. Ya no fue más la mujer con la que había vivido, ni siquiera intentó salvar el abismo que nos tragaba entre nuestros laberintos. Se levantó encorvada, y ya perdida entre las cajas, agregó: "Bueno, sólo fue una idea".

Los tres supimos que el candil de prismas rojos, como una enfermedad incurable, empezaba a consumirnos. La magia de lo inestable que sostenía nuestro castillo de cajas de madera, se había hecho añicos; el mero pensamiento de un candil para los tres, destruía nuestra familia intemporal. La intimidad precipitada que aceptamos sin resabios, era la de viajeros esperando trenes retrasados en una estación llena de cajas de madera, listas para ser mudadas.

La mujer no volvió a salir nunca de su recámara, en un acto de expiación que yo consideré más que obligatorio. Su ex marido cocinaba pequeñas fuentes de insípido espaguetti, que ya ni siquiera llevaba a la mesa redonda. Yo me sentía como prensado por una red invisible a mi sillón rojo; ya no pude separarme de él.

Una tarde las tías Conchas, muy alarmadas, llegaron al departamento; como nadie les abrió la puerta, recurrieron a la llave maestra del conserje del edificio. Todo transcurrió como una pesadilla. En el sillón rojo, el cadáver de su sobrino cubierto de telarañas que lo cosían a él, desdibujándolo. El dictamen del médico forense fue: "murió hace casi cinco semanas, hacia el 10 de julio". Las lágrimas de las tías Conchas inundaron el departamento lleno de cajas flotantes.

En la mesa de la esquina, él bebe cinzano mientras hojea un viejo diario. Ella entra con su falda de lana que casi le cubre los tobillos y un suéter corto y ajustado sobre el que vuela su cabello castaño. Él, incoloro y ausente, está sentado en el rincón de la veranda del destartalado hotelito, que se alarga sobre el malecón. Ella se dirige hacia él; lo besa con ternura ¿o con pasión? en la mejilla, muy cerca de los labios y se sienta a su lado.

—Siento llegar con retraso, pero mi hijo tenía fiebre. Tuve que esperar al médico antes de venir.

—Creo que se confunde. Yo no la esperaba. No espero a nadie, ni siquiera la conozco.

—Sé que estás enojado, que te molesta la impuntualidad, pero una hora de retraso no puede opacar las noches de este verano, nuestros feroces encuentros en la arena. Al fin me he decidido, voy a abandonar todo por ti: hijo, marido, familia, aun éste, mi triste pueblo.

—Señora, no me interesa su juego. Vine a este lugar para no ver a nadie, para terminar un tratado sobre finanzas. No tengo tiempo que perder en farsas sin sentido.

—Estoy harta de tu crueldad, de tu enferma afición por representar necios personajes. Eres un actor de tercera. Vengo a decirte que dejo todo por ti y ni siquiera eso eres capaz de respetar. Te odio.

La misma veranda, la misma hora, el mismo viejo diario. Ella aparece vestida como una gitana, un turbante

129

con abalorios brilla sobre su frente. De nuevo se dirige decidida hacia él, quien se levanta y le pregunta qué quiere beber. Ella se sienta sin mirarlo, su vista perdida en la lejanía.

—No esperaba encontrarlo aquí; puedo quedarme sólo un momento; mi equipaje está listo, esta noche parto a casa. Me siento feliz de abandonar este puerto al que vine por equivocación. En una semana es la subasta de antigüedades, hay mil detalles que vigilar.

—Me angustia que te vayas, has sido la única aliada de mi amor por tu hermana. Mis abuelos, mis padres, yo mismo he nacido aquí; éstos son mis horizontes, sabes que estoy dispuesto a renunciar a todo, hasta a mis estrechas ideas, pero no la puedo perder. Mi vida era monótonamente feliz hasta que apareció ella: un cataclismo que me hizo nacer, que aún no entiendo cómo me permite seguir viviendo. No puedes irte, sin ella mi vida no tendría sentido.

—Me confunde, yo no tengo hermana ni familia, sólo vivo para mis antigüedades, mi mundo es el arte.

—Arréglame una cita con ella, aunque sea la última. Quiero oír de sus labios que no me ama, hundirme en sus ojos de miel.

—Creo que le sienta mal el alcohol o las tardes de otoño. Recuerdo vagamente que le vi en una fiesta de bodas en el restaurante del puerto, no creo que hayamos cruzado ni una palabra.

—No soy culpable de no haberte amado cuando tú me amaste, de haber sido esposo y padre fiel, de haber perdido la razón cuando conocí a tu hermana. Perdóname, sálvame.

Callan, sus miradas se unen en la espuma que baña el arrecife. Ella, ausente, pide otro cinzano. Un viento helado sobrevuela la veranda, agitando los abalorios del turbante; ella tira de él y lo abandona sobre la mesa; su cabello libre toma vida mientras se quita la chalina que cae sobre el respaldo de la silla, su talle se perfila dentro del estrecho suéter. Él la observa como viéndola por primera vez, con la mirada llena de confusión, las facciones descompuestas.

—Perdone, señora, está usted en lo cierto, he sufrido una penosa equivocación. Creo que por hoy he bebido demasiado.

Ella le observa con atención, su mirada se va transformando, hasta que del fondo sale una chispa de seducción.

—No, tal vez no esté tan equivocado, es posible que en otra ocasión hayamos charlado y bebido cinzano en esta veranda.

—Lo ignoro, de nada estoy seguro, tengo que partir, mi tren sale esta noche y aún no he hecho el equipaje.

Varias copas vacías se apilan abandonadas sobre la mesa, él bebe, mareado, una más, que el desaliñado mesero acaba de servirle. Ella entra con prisa tratando de moderar su paso.

—Amor, llego tarde, pero es culpa tuya; en la cama, mientras me baño, al vestirme, me abraza como otra piel el recuerdo de tus caricias, me penetra formando nuevas fantasías y pierdo la noción del tiempo. A todas horas te deseo.

Del bolso saca unas flores un poco marchitas atadas con una cinta azul, se las ofrece risueña y luego, con descuido, las deja sobre la mesa.

—Querida, voy a tener un hijo. Las amo a las dos, pero más que a nadie al hijo que engendré en tu hermana. Va a ser varón, un ser idéntico a su padre.

—Entonces no se va a parecer a ti.

—¿Qué quieres decir? Estás herida y sólo quieres lastimarme.

—Qué ingenuo eres. Creí que sabías que mi hermana tuvo un amante al principio del verano, un financiero en todo diferente a ti. Su hijo jamás será artista, jugará con ábacos no con pinceles. Sólo existimos tú y yo, siempre enlazados.

—Te has vuelto loca, me deseas sólo para ti, quieres que olvide a tu hermana y, sobre todo, a mi hijo.

—Estás mal, amor, soy inmensamente feliz cuando siento tu cuerpo iluminado por la luna, cuando me dejas sin respiración, hundida en la arena.

—Es increíble, te hablo del hijo que voy a tener, de que tu hermana va a ser su madre, y no te importa; nada te importa, ni mi infidelidad, ni su traición. Has bebido demasiado.

—No puedo emborracharme con los cinzanos que tú tomas. Seduje al financiero cuando era amante de mi hermana, nos contábamos su amor como ahora compartimos el tuyo. Ni de números ni de pinceles queremos amueblar nuestra vejez, sólo de alegría y locos recuerdos.

—¿Y mi hijo?

—No va a nacer ni de su vientre ni del mío, que también estoy embarazada.

—¿Es hijo mío?

—¿Qué más da quién sea su padre? Esta noche nada tendrá importancia, sólo tus manos y nuestras bocas.

Ella termina de un solo golpe su cinzano diciendo al alejarse:

—Aún tengo que comprar vino, queso y las aceitunas que tanto te gustan. Nos vemos en la playa.

Llega tarde, un poco ebria; él toma café, más serio e incoloro que nunca. Ella se deja caer en la silla y pide un cinzano; él la mira con desaprobación, pero calla. Sin preámbulos, las palabras de él llenan toda la veranda, pueden ser escuchadas por quienes pasean por el malecón.

—Quiero estar solo; esto es el final. Parto esta noche, no quiero saber más de ti. Creo que te amé, te desamé y volví a amarte. Todo ha concluido. Estoy muy cansado.

—No puedes dejarme ahora que te amo, que sólo quiero estar entre tus brazos, pintada por ti.

—Y tú ¿me habrás querido?, ¿será tu hijo mi hijo?

—Antes no, ahora sí.

—¿Qué vas a hacer con tu miel, en tus noches?

—Venir al atardecer a tomar cinzanos, con un hombre incoloro que me va a decir que no eres tú, y que cuando brille la luna me va a hacer el amor deseando procrear un hijo.

PEPE PÉREZ-LIPTON

3 de febrero
Carlos Lipton me espía.

Durante años, ahí sentado en su terraza, con la pipa apagada y su cuaderno negro abierto, escribe su "pequeña pieza de arte". Siempre espiándome. Viendo hacia mi jardín, siempre. Conoce a la desgraciada desde que eran niños; ella nació en esta horrible casona.

3 de febrero
Rosa de la Paz no jugaba ni sola. Nunca quise ni hablar con ella, huérfana, desdichada toda su persona. Iluso de mí al creer que al desposarla, Pepe Pérez la iluminaría. Joven de temperamento alegre, licencioso, con su insolente nariz, qué bien parecido se veía al lado de su Rosa sombría, la rica heredera que resultó no ser tan rica, según las amargas quejas de Pepe Pérez, que la odia.

4 de febrero
Desde niño mi señorío me hizo diferente. ¿Por qué fui a nacer hijo de pobres campesinos? No hay quien no admire a Pepe Pérez. Mi radiante inteligencia me permitió no estudiar, y a mucho orgullo tengo jamás haber trabajado. Allá arriba está escrito que seré un hombre inmensamente rico. Qué burla del destino haberme sacrificado a este engendro por tan raquítica fortuna. Pero muy pronto, lo sé, va a cumplirse lo que allá arriba está escrito.

7 de febrero

Parlanchín e intrascendente, viste como un dandy cursi, exagerado, mostrando su espíritu basto que en vano intenta ocultar. Pobre Rosa apagada.

9 de febrero

Lipton me envidia. Quisiera poder imitarme, ser como yo. Presume de su alcurnia y poquitea sus rentas como si se le fueran a acabar. Qué a gusto lo engaño, lo hago murmurar lo que me da la gana, cree que no me doy cuenta de que vive analizando mi misteriosa personalidad, hablando de mí a mis espaldas. Es un infeliz que algún día me va a ser útil.

10 de febrero

Pepe Pérez, sus embriagueces de grandeza, sus desplantes de millonario. Creí conocerlo cual se conoce a un niño fatuo, hasta ayer que nos anunció en el bar que va a construir un pozo al fondo del jardín de la casona abandonada, para evitar el despilfarro de agua. Quedo atónito. Algo en la roma personalidad de Pepe Pérez se me ha escapado. Mi novela se detiene. Hay otro Pepe Pérez, el que vive intramuros con Rosa de la Paz. Todos bromean, aseguran a voces que en ese pozo la va a ahogar.

22 de febrero

El pensamiento de emparedarla viva, cruza y vuelve a cruzar feliz por mi mente; pero es sólo un juego, hasta Lipton me descubriría. La manirrota desperdicia el agua regando su horrible jardín en cuanto salgo. Sólo eso me faltaba, que derroche mi escasísima fortuna. El pozo·lo voy a construir con mis propias manos.

29 de febrero

Azorado, vi la pala, el pico, el cemento, las piedras: yo que aseguraba que la historia del pozo era una mentira más de Pepe Pérez.

14 de marzo

Cavar el maldito pozo me está llevando la vida. Ya no tengo ni las fuerzas que me exigen mis amantes, pero estoy más guapo que nunca. Darme por vencido, jamás; permitir que alguien entre a fisgonear las miserias de la casona, los olores de la repugnante, nunca.

7 de abril

Lo encontré. Estaba escrito allá arriba.

8 de abril

Ayer, Pepe Pérez no acudió a la velada literaria a pesar de que yo iba a dar lectura a algunos de mis poemas épicos. Tampoco fue a cenar al bar.

8 de abril

La Diosa lo puso en mis manos. Lo escondí en lugar seguro. Todo mío, mío. Lo sabía. Estaba escrito allá arriba. Lo sabía.

9 de abril

Desde muy temprano, Pepe Pérez empezó a cavar, pero diferente: dos o tres golpes de pico, olvidaba sacar la tierra con la pala, caminaba desesperado alrededor del pozo, se me perdía de vista dentro de la casa. Estaba fúrico, el pozo había podido más que él y él no osaba enfrentar al mundo sin el rostro del imbatible Pepe Pérez.

9 de abril

Maldito Lipton. Por su culpa tengo que seguir con la farsa de cavar el pozo.

10 de abril

Lipton no se mueve de su puesto.

11 de abril

Me vigila con voracidad.

14 de abril

Hace ya una semana que lo encontré.

A las cinco en punto de la tarde, hora del prendimiento del Camborio, el pico chocó sonoro, metal contra metal. Metí la pala y escuché la misma resonancia. Me hundí de cabeza en el hoyo, que escasamente rebasa los 75 centímetros. Los rasqué con las manos que pronto tocaron el primer doblón de oro. La velada literaria vino a salvarme, en ese momento Lipton estaba en el Ateneo, leyendo sus insoportables versitos. Volví a enterrar mi tesoro. Oía el estruendo ensordecedor del arrastrar de las chanclas de la imbécil. Esperé desesperado la llegada de la noche, que la bruja se durmiera, que soltara el primer ronquido. A oscuras fui metiendo mi oro en un saco. Noventa y nueve deslumbrantes y pesadas monedas. El tesoro merecido. Abrazado a mi oro me iluminó la primera luz del día. Rebusqué. Nada. Arreglé la tierra. Lavé con devoción mi fortuna, la escondí en una alforja y la guardé en el armario, entre mis rifles de cacería, sabiendo que ahí la basilisco no mete sus manotas. Soy un gran hombre inmensamente rico.

14 de abril

El Pepe Pérez que regresó al bar es otra persona. Más

fatuo que nunca, nos trató con el sutil desprecio del hombre que está muy por encima de los demás mortales. Empezó a criticar a nuestra culta ciudad con creciente antipatía, a decir que él necesita horizontes mucho más amplios, viajar, vivir en magníficas residencias, con lujos, ejércitos de servidumbre. Rosa de la Paz no entra en sus planes.

15 de abril

¡Qué tormento! Salgo inquieto de dejar a la hipócrita sola con mi riqueza. Me relamo al imaginar a los pueblerinos de mis amigos, boquiabiertos ante el resplandor de mi palacio de oro, atajo de amargados.

16 de abril

A causa de su creciente angustia, pide con más rapidez y mayor autoridad sus "cubas". Actúa como quien va a pagar todas las cuentas, pero cada día se vuelve más desentendido, como si tuviéramos la obligación de invitarle. Empieza a resultar cargante.

20 de abril

"Don José", como él, pretendiendo que es una broma, ha empezado a llamarse a sí mismo, vuelve a convertirse en el centro de mi curiosidad.

29 de abril

Por la gentil imbecilidad en la cara de Lipton supe que todos sospechan.

5 de mayo

Las impertinencias de Pepe Pérez, sus festines del futuro, sus bellísimas amantes imaginarias, son un fastidio. Escucharlo me enferma.

9 de mayo

No ha vuelto a cenar al restaurante, ni a salir de noche. ¿Por qué se protege de las sombras encerrado en su casa?

13 de mayo

El viernes me preparaba para salir, elegante y perfumado, cuando la sorprendí, de espaldas, agachado su enorme y fláccido trasero, metiendo sus manos grasosas entre mis rifles. Me vino un vahído que, ayudado por la palidez del miedo y lo cetrino del odio, la aterrorizó. Le pedí que, con calma, fuera a la farmacia a buscarme una medicina, no había que alarmar a los vecinos. En cuanto la oí cerrar la puerta de la calle saqué mis doblones de su escondite, moví la cama, levanté la alfombra, los acomodé debajo y me tiré sobre la colcha. Si fuera necesario moriría como un conquistador defendiendo con la vida mi fortaleza de oro.

9 de junio

No ha vuelto al bar. Pepe Pérez tenía que comer al menos una vez al día y los guisos de su mujer son para él veneno. Salió con Rosa de la Paz del brazo; él, que nunca la tocaba, la llevó detenida fuerte como a una prisionera. A paso veloz la metió en una fonda en donde sirven comidas corridas. Corriendo comió y la arrastró de regreso. Pretendió no verme. La misma escena se repite todos los días desde hace dos semanas.

9 de junio

Después de haber visto a la ratera hurgar en el armario, ya no pude espantar la sospecha. Mi oro estaba demasiado cerca de sus ronquidos sobre la cama. Cuánto me ha hecho sufrir. Pero hoy en la madrugada di con el escondite. Había padecido incontables pesadillas en las que cada noche se robaban mi oro. Fue la última la que me salvó: me estaban amortajando y yo, sin que lo notaran, metía mi oro entre cada vuelta de las vendas, me lo llevaría conmigo al cielo. Supe entonces que el escondite era mi propio cuerpo.

10 de junio
Albricias, esta mañana descubrí a Rosa de la Paz cavando el pozo. Mi historia continúa.

10 de junio
Tuve por fuerza que desaparecer a la mongólica para amortajarme. Le confesé que mi último deseo sería ver el pozo terminado. Nada tuve que añadir.

24 de junio
Con su corpulencia, el pico se hunde y la pala saca a cucharadas montañas de tierra. En pocos días ya la Rosa de la Paz desaparece dentro del pozo.

29 de junio
Espalda, pechera de oro, cosí una armadura que por necesidad tuvo que bajar hasta mis piernas. Saqué un traje de aquéllos cuando mi cuerpo ocupaba casi el doble que ahora, aun así me veo algo ceñido. Me bastó mi diccionario médico y una sola palabra decaída en el oído del dueño de la fonda: "hidropesía". La cara de Lipton fue un placer de los que hacía mucho no gozaba.

30 de junio
La musa se posó a mi lado, mi "pequeña pieza de arte" florece en una comedia divina. Artista arrobado, fui el último en enterarme: Pepe Pérez agoniza de hidropesía. Esto viene a malograr el gran final de mi obra. Cuando

lo vi me costó reconocerlo, su cuerpo se infló, parece que cada kilo le pesa una tonelada. Su rostro se ha demacrado al punto de que su nariz dejó de ser impertinente. Sus ojeras azules de dolor y miedo dan una luz sombría a su huidiza mirada. Qué contraste tan patético su cuerpo inflado y su esquelético rostro, los brazos, las piernas, que no lo sostienen, perdidos entre mangas y pantalones mientras su cuerpo y el principio de sus muslos explotan de agua retenida. Castigo en vida de la que el malvado le escatima a Rosa de la Paz. Una odisea para Pepe Pérez lograr dar los pocos pasos que lo llevan a la fonda, el esfuerzo trágico por tomar unos cuantos bocados al lado de su fortísima Rosa exuberante.

1 de agosto
Guardé todo el dinero en los bolsillos, ya no va a poder gastar ni un centavo. Bastante despilfarro es pagar una pensión en la fonda y permitir que se coma todas las sobras. Mientras yo habito en regiones muy superiores, la insaciable roe en la cama trozos de piedra caliza que rasca del pozo.

4 de agosto
Los últimos malos pensamientos se le quedan fijos en la tenebrosa cuenca de los ojos. A su lado, la colosal Rosa bermeja devora la carne en tres o cuatro zarpazos. Pepe Pérez, agotado de tanta agua y debilidad, se recuesta a medias sobre el mantel, ya no puede ni mantenerse erecto en la silla.

19 de agosto
Mis hombros se encuentran llagados por el peso del oro; cómo gozo este constante dolor que ya me llega al hueso. Ni en sueños me quito mi armadura.

11 de octubre
Hoy ocurrió una tragedia que Pepe Pérez, por lo que sé
de él, va a considerar como su salvación. Siguiéndolo,
fuente de mi inspiración, me había yo habituado a la bazo-
fia de la fonda. Ellos pretendían no verme mientras yo
los observaba, cada vez con menor recato. Sirvieron una
carne especialmente correosa. Rosa de la Paz, desesperada de no poder partirla, la introdujo completa a su boca,
masticó con prisa y tragó. La carne quedó atorada. La
colosal Rosa, roja de asfixia, se levantó, arqueó su cuerpo
tres veces y con los ojos en blanco se desplomó muerta.
Pepe Pérez la contemplaba atónito, ni una reacción. Per-
maneció sentado en su hidropesía.

11 de octubre
Bendición inesperada. Dios ha premiado mi paciencia,
mi generosidad. La ratera bajo tierra, mi oro seguro.
Ahora sí brillará mi señorío, sin esa mala sombra persi-
guiéndome. Cuánto la odié. Cuando oí a los conocidos,
a las autoridades hablar del entierro, casi me muero, era
la perversa quien se vengaba exigiéndome los terribles gas-
tos de su sepultura. Todos rondaban por la fonda, ella
tendida en el suelo llenaba el lugar, cubierta por una
sábana que no lograba abarcarla. Ése fue su velorio. Me
la dejaron en la puerta de la casa. Tardé varias horas en
arrastrarla y tirarla al pozo. Ni pensar en quitarme mi
armadura de caballero de oros para tan noble hazaña.
Tierra sólo la necesaria para que Lipton no descubriera
el cuerpo sin ataúd.

12 de octubre
Cuánto la amó Pepe Pérez, quien tanto presumió odiarla.
La quiso sólo para él. La veló en su casa. La enterró en
el pozo para no separarse nunca de ella. Durante la noche

oí el ruido de las manos de Pepe Pérez ensamblando el ataúd para su Rosa muerta. Sus gemidos estremecían toda la casa en sombras. La aurora iluminó la sepultura de Rosa de la Paz y el cuerpo enfermo de Pepe Pérez tirado a su lado, respirando estertores. Rosa ya en paz, se llevó a la tumba un amor infinito.

13 de octubre

No lo soporto: "Epitafio para una santa". El cronista de la ciudad o lo que sea, se burla de mí, me pone en ridículo ante todos. Sus cursis estupideces en primera plana del periódico. Quién se acuerda de esa res. Mi amor por esa campesina roja con sabañones es un insulto que me rebaja, que me hace parecer un idiota. Todos saben que siempre la aborrecí.

13 de octubre

Mis décimas post-mortem son arte purísimo, encarnado por mi pluma, nacido de la vehemencia del dolor de un pobre hombre incomprendido, todos me alaban, no hay quien no relea extasiado: "El infinito amor que silenciosa cultivó Rosa de la Paz, latió oculto por muchos años en el ahora desfalleciente, herido de muerte, corazón de Pepe Pérez. Hemos sido testigos ciegos de un romance único, guardado a intramuros en la inmancillada intimidad de la casona. Amor inconmensurable que sólo se da vibrante en la inspiración de grandes novelistas. Amor que los vuelve inmortales, como inmortal será para nosotros el recuerdo de la amada Rosa cuya fragancia es un bálsamo de paz para nuestros espíritus."

19 de octubre

Animal de trabajo, bestia de carga, y el imbécil de Lipton sigue recitando ante cualquiera su "Epitafio para una

Santa". Planea publicar no sé cuántos versos, himnos de mi amor por la carroña. La gente me ve como a un fenómeno de circo. Ya casi no puedo caminar. A diario echo algunas paladas al pozo, no sea que el maldito Lipton descubra a su "Divina Rosa".

1 de noviembre

Voy a convertir en cenizas mi pequeña "pieza de arte", retrato equivocado de un hombre que en su humildad lleva la grandeza; jamás ultrajaría con mi magistral novela satírica los sublimes sentimientos de Pepe Pérez. Cómo no alcancé a palpar la realidad que minuto a minuto se fraguaba cerca de mí, a tan pocos metros. Qué miope puede ser el genio. Mi sino es ser un romántico, abandonaré la novela, la poesía épica, tal vez hasta las crónicas de la ciudad, para dedicar los vuelos de mi pluma a la grandiosa tarea de transcribir, fielmente, el amor descubierto demasiado tarde de este hombre grandioso hacia su Rosa secretamente idolatrada.

10 de noviembre

Estoy harto de las burlas de Lipton. A diario publica unos "versitos" sobre mi amor por la cretina. Y yo a diario tengo que echar dos o tres paladas de tierra, por aquello del cadáver.

20 de noviembre

A Pepe Pérez le duele abandonar a su amada inmóvil. Ni una sola mañana ha dejado de orar frente a su tumba. Simbólicamente, echa algunas paladas de tierra y en ellas su vida, trozos palpitantes de su corazón desangrado.

21 de noviembre

Los cadáveres se mueven, escarban. A diario se me figura

145

en diferente posición. Hoy, al echarle su cochina tierra, vi un brillo que me descardilló: otro doblón. Ventaja inmensa tengo de que Lipton ya sólo se instale en su terraza a las ocho de la mañana para verme con la pala. Al muy cretino le corren lágrimas por toda su aburridísima cara.

21 de noviembre

Mi héroe no logra detener los efluvios de su pasión.

22 de noviembre

El pozo es ya muy profundo. Como no tengo escalera, usaré una cuerda atada al árbol. ¿Cuántos doblones habrá encontrado la arpía? Hasta muerta intenta robarme. Debe de estar más podrida que nunca, apesta.

23 de noviembre

Pepe Pérez no salió a orar a los pies de Rosa de la Paz esta mañana. ¿Estará más enfermo?

26 de noviembre

Cuatro días. Estoy preocupado, desolado, diría yo. Hizo mucho frío, pero me quedé en la terraza hasta que oscureció, esperando al amante desesperado. Maté las horas escribiendo otro magnífico poema de su amor. Mi pluma, sólo ella, está a la altura de este dolor amoroso que se lleva en desmayos la vida de mi entrañable Pepe Pérez.

1 de diciembre

Pepe Pérez ha muerto. Después de no verlo durante nueve días, obligué a las autoridades a abrir la puerta de la casona. ¡Qué espectáculo: miseria, desolación por doquier! Al fin encontramos el cadáver. Dentro del pozo, a medias enterrado, abrazando a su Rosa yerta que ya le pertenece a la eternidad. No pude contener el llanto, hincado ante la sepultura de los inmortales amantes de nuestra ciudad.

3 de diciembre
No he permitido que nadie intervenga. Mis poemas, que ellos han inspirado, me dan un sublime parentesco espiritual con esta trágica pareja. Hoy me entregaron el ataúd nupcial que para ellos mandé tallar con preciosura, postrer reliquia de su amor sacrosanto.

4 de diciembre
A las ocho, hora en que cada mañana Pepe Pérez iba a orar frente a la sepultura de Rosa de la Paz, entré acompañado únicamente por dos viejos sepultureros. Pepe Pérez la había sacado de su ataúd. Me negué a amortajar ese cuerpo que tanto sufrió conteniendo tan borrascosa pasión. Los sepultureros, quejándose del peso, acomodaron el cuerpo sin alma de este hombre extraordinario. Ordené silencio. Los últimos pétalos de su Rosa le fueron esparcidos a su alrededor: Su postrera morada: el pozo.

10 de diciembre
Homenaje al amor de Pepe Pérez. El gobierno donó a la ciudad la casa-museo testigo de la inolvidable tragedia. Va a construir una cripta de mármol y sobre su plancha a esculpir los cuerpos unidos de los grandes amantes. Pepe Pérez, acosado por la enfermedad, por la miseria, se dejó morir enterrándose en vida dentro de la sepultura de su idolatrada Rosa. Humilde cronista, he recibido el privilegio de escribir el epitafio de este hombre y de esta mujer extraordinarios.

147

Se conocieron mucho tiempo antes de haberse visto y ocurrió en aquellos meses su más íntima convivencia. Vivían enlazados, se abrazaban de tal modo que los miembros se confundían al punto de no saber si una mano, un muslo, era propio o de su pareja. Sus posiciones eran anudadas, diluidas, perdidas las del uno en las del otro. Un silencio y una serenidad total los acunaban. No deseaban soltarse, tan sólo dar vueltas enlazados. Un día la vida los separó.

Ella nació primero, arrancada de los brazos de él, expulsada del placer, del amor sin contornos en el que había vivido. Afuera reinaba una realidad fría, dura y hostil, pero él la siguió con desesperación. Se sabían cerca, mas estaban separados, incomunicados. Solos y desprendidos de su abrazo por unos cuantos aunque dolorosísimos centímetros. Ambos lloraban por primera vez en su vida. Aprendieron a escucharse, a traducir su llanto, y llorando a decirse muchas cosas.

Su reencuentro, el primer nuevo abrazo fue en la tina. Ella se asió al cuello de él y no lo soltaba, él se adhirió al talle de ella para nunca dejarla partir. La escena cuando los separaron fue terrible, el corazón de ella quedó en el pecho de él, las entrañas de él en el interior de ella. Supieron para siempre cuánta era la maldad que los rodeaba.

Madre casi llegó a comprender su amor. Únicamente abrazados, lamiéndose y ronroneando, dejaban de llorar. La noche de un día especialmente difícil, madre exhausta, los metió en la misma cuna. Esa noche creyeron reencontrar el paraíso, pero había algo extraviado, irrecuperable: el sueño de entremezclar sus cuerpos, de perderse el uno en el otro hasta fundirse. Las ropas, que los apretaban, eran un obstáculo insalvable, y en la tina las manos de madre los interrumpían, los desunían, manos burdas siempre entrometidas.

Ya nada los separaría después de su bautizo. Los ropones eran idénticos, albeantes y encañonados. Los gemelos también eran idénticos: bellos, delicados y perfumados.

Primero la bautizaron a ella, María, por ser la mayor. El sacerdote colgó en su cuello la medalla de la virgen con su nombre grabado atrás. En seguida lo bautizaron a él: Mario, y colgaron de su cuello otra medalla, la de la O. Sólo por esta letra no era idéntica a la medalla de su hermana.

Al final de la ceremonia, madre estaba agotada. Cuando terminó la fiesta, fue a ponerles su pijama. Un grito de madre aterró a la casa amodorrada. A la niña le habían puesto Mario: María la de la O, mientras que el niño se llamaba María. Madre nunca pudo superar esta confusión, a menudo al niño le llamaba María, a la niña siempre María la de la O. Fue una equivocación que la entristeció tanto que ya no dudó en confundirlos; después ya dejaron de importarle los gemelos y siguió confundiéndolos. Jamás se repuso de este golpe. Dejó de ser madre. Dejaron de gustarle esos hijos confundidos.

Aquella terrible noche del bautizo, acostó a los gemelos semidesnudos otra vez en una sola cuna. Mario estaba muy sensible y enormes lagrimones escurrían sobre sus mejillas, María la de la O sacó su lengüita y bebió largamente esas lágrimas. Nunca había saboreado algo tan delicioso, lloró de felicidad y Mario probó el nuevo manjar. De este modo, los hermanos lloraron y bebieron entre

150

sueños y desvelos toda la noche. Ya no podrían vivir sin sus lágrimas idénticas.

Mario y María la de la O fueron creciendo aislados del mundo y confundidos entre sí. Madre les preparaba la ropa, pero le daba lo mismo sobre cuál de ellos cayera el traje de marinerito o la falda de holanes almidonados, total, todo era una equivocación y los niños eran idénticos. Eran tan idénticos que resultaba imposible diferenciarlos: sus cabellos rizados, sus dulces gestos, su perfecta belleza era igualita. Tal vez María la de la O era un poco más alta y más fuerte, por ser la mayor, y Mario María, como acabó llamándole madre, un poco más sentimental, por ser el menor.

Dejados de la mano de madre, vivían inseparables en su secreta felicidad. Crecían sin desprenderse. Dos efebos deslumbrantes jugando como espejos, amándose como ecos.

No había lazo más entrañable que el de las lágrimas que a diario uno derramaba hasta saciar al otro; vínculo de dulce sal del corazón que a diario se ofrendaban.

La juventud no llegó a molestarlos, sus cuerpos obstinados en ser iguales apenas se diferenciaban. María la de la O parecía un frágil joven, Mario María una elástica jovencita, y no cambiaban. Siempre solos, siempre juntas sus miradas, sus pensamientos, sus lacios juegos.

Madre murió sin avisarles siquiera, fue su último olvido. Les dejó recuerdos de familia que ellos nunca habían notado, la generosa casa en la que habitaban y muy buenas rentas. Esa tarde, María la de la O y Mario María derramaron ríos dulcisalados de felicidad, que en pacto de comunión eterna saborearon.

Nunca volvieron al colegio, jamás hicieron visitas ni tuvieron amigos. Las puertas de la casa se cerraron. Su único lazo con el exterior era una vieja criada que los atendía y que había aprendido a no verlos ni hablarles.

Llena de felicidad, apareció la primera cuna. No era demasiado grande, justo lo necesario para recibirlos abrazados. La instalaron en la pequeña y tibia recamarita que los recibió de bebés. Rodeados de almohaditas y de preciosas sábanas, se acurrucaban acoplados y cubiertos por un enorme tul rosado que caía del dosel de la cuna y que cuidaba sus sueños matizando las luces de las diferentes horas del día.

Preparar el comedor para la llegada de la segunda cuna, les causó muchas alteraciones en sus rutinas, pero el día en que llegó la cuna-mesa supieron que sus esfuerzos habían sido premiados con creces. La cuna-mesa era una góndola veneciana muy antigua que flotaba sobre el lago con el que habían cubierto el comedor. Era un festín comer recostados sin dejar de tocarse, mecidos sobre el agua. Comían del mismo plato, muy despacio, en un silencio arrullado por ruiditos de satisfacción y adorándose. Dormían entre bocados varias siestecitas, sobre los almohadones de seda bermeja y bajo la suave luz del farolito que colgaba sobre ellos.

Arribó una cuna más: la de la sala, que era enorme. En ella pasaban las tardes. María la de la O, jugando solitarios tan compartidos que ambos gozaban llamándoles sus "emparejados"; Mario María, tejiendo sin que ella perdiera ni un punto, ni la cuenta de las vueltas. Vestían complicados suéteres, diseños del joven. Todo era dicha plena hasta un diciembre en el que María la de la O se sintió angustiada. Mario María le ocultaba algo, por primera vez en su vida. En Nochebuena, todo retornó a la perfección, aunque para siempre diferente a como era antes: habían aprendido a reírse. Mario María había inventado un suéter enorme con dos cuellos y tres mangas, una mucho más ancha y en el centro. Ése había sido el misterio que tanta pena causara a María la de la O. Cuando se metieron al suéter, soltaron la primer carcajada de su existencia, compartiendo la manga del centro, y muchas más carcajadas les costó ir acoplando sus movimientos.

Hasta entonces sólo habían jugado juegos de dulce ternura, de tibias caricias desmayadas. Fue a María la de la O a la que se le ocurrió el nuevo paso mellizo. Le pidió a Mario María que tejiera un pantalón con dos cinturas y tres piernas, la del centro compartida para amellizar sus miembros unidos y seguir riendo.

Parecía que hubieran crecido, dejando atrás a sus bebés. Juntos abrían divertidos la puerta de la infancia. Ya no buscaban el paraíso perdido, vivían en el jardín encantado. Las horas volaban y ellos se caían de la góndola, se tiraban la comida y se ahogaban de risa. La hamaca, que durante tanto tiempo los había acunado, plácidos y adormilados en el jardín, se volvió un columpio loco en el que envueltos en sí mismos le daban uno al otro un giro completo.

De pronto, todo se detuvo.

Habían luchado y retozado la tarde entera; sudorosos, se metieron a su gran tina. María la de la O abrazó, prensándose, el cuerpo de Mario María con la intención de hundirlo. Algo ocurría. Se hizo el silencio y la inmovilidad. Sintieron un doloroso apremio. Se miraron sorprendidos, palpando muy dentro la diferencia de sus cuerpos que se endurecían. María la de la O hundió profundamente su lengua en la boca salada de Mario María. Mario María fue penetrando, en estrecho éxtasis, el interior húmedo de María la de la O. No se movían, y el placer doloroso se acercaba. Llegó en una agonía que les desprendió por dentro cada uno de los miembros, les desgajó cada músculo, abriéndolos en canal. Ya no reían, estaban en el cielo. Por fin eran idénticos sus cuerpos.

153

Mario María le daba a María la de la O lo que le había faltado. María la de la O recibía a Mario María en el divino interior cálido en el que se conocieron y amaron por primera vez. Y así, siempre acoplados, marihermanos y marinovios, vivirían felices nadando uno dentro del otro.

Nunca hay que regresar a los lugares en donde fuimos felices. Y aquí me encuentro hoy, sentada en la enorme y umbrosa banca que corona el oscuro parque. A menos de 20 metros del portón de mi única casa, la casa en la que fui niña, ante la que este instante tirito.

Sólo en esta casa puedo vivir con Pablo, aquí, bajo la protección de todos los ángeles familiares que se posan en los objetos más inesperados: en la manija de una puerta, sobre la cabecera de una mesa, en el paragüero del hall. Hay que abrir la casa, descubrir a los muebles de sus blancas fundas, encender las chimeneas. Quise venir sola, para que mi casa reciba con todos los honores al nuevo marido.

Quedo prisionera en la banca del parque, me atrapa ese frío que se esconde dentro de los huesos y al que únicamente espantan el tazón de leche caliente, la tibieza de las sábanas bajo el edredón y las ásperas manos de mi nana. El pensar en Pablo me da frío. Crecimos sabiéndonos casados. Nuestras familias, parientes entrelazados, nuestra educación, su edad y la mía, han ido arreglando desde siempre este matrimonio. La adolescencia nos separó. Pablo se fue a estudiar leyes, mientras yo me preparaba para el matrimonio, con la impresión de que, desde que nací, empecé a bordar nuestras sábanas nupciales.

¿Quiero casarme con Pablo? Le doy la espalda a la realidad regresándome al pasado. Mi casa revive, con sus ventanas divididas en horas luz de un inmenso reloj fachada. Ahí, la vida se vuelca de una habitación a otra y como un reloj de arena nos deja apiñados en ellas, con la precisión implacable de la costumbre. El suave tedio de la vida en familia brilla tenue tras los visillos de los cristales, sobre el vitral ensangrentado de la capilla, única gota de color contra la gris fachada; de la cocina escapan aromas dulcísimos de nuestra rutina que, en familia, confundimos con la vida.

Una niña vestida de foto vieja, abre, desde adentro, con dificultad, el portón. Regreso atemorizada a mí misma, la extraña criatura se me acerca dando brinquitos, gozando de los malabarismos de sus largos rizos entubados. Me tapo los ojos y los cierro con fuerza para desaparecer este absurdo espejismo reflejo de mi viaje a la infancia. Cuando los abro, la niña salta, sonriéndome, sacudo la cabeza, vuelvo a cerrar los ojos y siento, aterrada, la manita de la niña tomando la mía: "Ven, todos te estamos esperando ando ando". La miro, incrédula, me reconozco en ella: es mi sonrisa, mi nariz, mi vestido azul; ella me jala con determinación sin interrumpir sus saltitos. Me dejo arrastrar, sorprendida de que un espejismo pueda presionar tan fuerte mi mano helada.

Sin que me suelte, entramos a la casa, que ya desperezada de la siesta, reacomoda a cada quien en su lugar: desde el hall oigo a mamá ir y venir en el costurero, me envuelve el humo del puro de papá que viene flotando desde su despacho, en donde todas las tardes, tomando su digestivo, hace números en su inmenso escritorio. Los objetos son idénticos a mi recuerdo de ellos; reconozco, sin asombro, otros muchos que mi memoria había extraviado. Algo sorprendente está ocurriendo, los espacios han crecido, el hall, que es pequeño, en este momento se siente muy amplio, la espaciosa sala se ha vuelto gigantesca, los techos altísimos y las ventanas, vistas desde adentro, se han estirado hacia todos lados.

Descubro golosa el chocolate y las galletitas que Ramona sube para mamá al costurero; mi manita me jala, abriendo de puntitas la puerta del despacho, me paralizo, pues es algo impensado entrar a ese santuario. Mi papá me mira con la placidez que nunca le abandona, yo quedo parada frente a su escritorio, mi barbilla apenas alcanza a recargarse en él, muevo la cabeza y todos mis rizos brincotean.

¡Qué viejo es! Aunque no tiene muchas arrugas porque no tiene muchos años; su cara y su cabello dan la idea gris de estar llenos de polvo, como si hubiera permanecido guardado en un desván, sus ojos tristes de muerto también están empolvados. Lo cenizo en él contrasta con su esmerada pulcritud. En su rostro falta algo que lo vuelve intratable, ha perdido la boca, y en su lugar lleva zurcido un ojal silencioso.

No interrumpe sus números mientras lo observo; luego, cierra el gran libro negro; lentamente, sube una de sus manos y se quita la cara como si fuese una máscara; con la cara en la mano rodea el escritorio y se sienta en su sillón frente a la chimenea. Inmóvil, ahí sentado, usa otra cara muy joven: la cara de Pablo. El fuego la refleja, tierna, encendida por dentro y por fuera. Sus cejas, solas, pueden contar toda una historia; son un trazo firme y delgado que da espacio a sus ojos sin molestar a la frente; su piel tersa, se continúa en el brillo sedoso de su barba que se mezcla a su cabello alborotado en castaño. Sus labios lo llenan de sensualidad carnosa y caliente. En la semipenumbra, él me toma de la mano y me acuna en sus brazos. Pablo ¿me quieres mucho?, le pregunto. Y lloro como cuando era niña.

Ni el alboroto de la boda logró alejar de mí aquel recuerdo. Nadie me había hablado de la pasión, la ternura sólo la conocía en cuerpos viejos; nadie me había dicho que yo estaba viva. Tengo miedo de sentir. Es tanta la felicidad, que me duele.

Esta noche, derretida en Pablo, me hundo en su pecho queriendo chupar su corazón. De pronto, oigo la vocecita repitiendo el mismo estribillo: "Ven, todos te estamos esperando ando ando". La reconozco con espanto, viene desde el hall, me levanto, cierro la puerta del despacho y corro al costurero buscando el olor de mamá, ahí sollozo en silencio hasta el amanecer. Creo que Pablo también la oyó. Los dos sabemos que la niña va a regresar. El precio de amarlo así me va pareciendo demasiado alto. Quiero abrazarlo y me detengo acariciando el respaldo del sillón; me trepo al escritorio y me hago bolita. Sé que Pablo me espera deteniendo la respiración, se frena sabiéndome a destiempo, intentando acoplarse a los latidos de mi confundido amor.

Hoy es mi cumpleaños. Cenamos solos; dentro de la servilleta encuentro mi regalo, el collar de perlas que tanto he querido. Ante la chimenea del despacho, enlazados, sin contornos, yo soy él, su fuerza, él es yo, su dueño. Oigo el espantoso estribillo, levanto los ojos y veo a la niña de pie junto al escritorio, repitiéndolo, mientras toma mi collar y se lo pone. Huyo a encerrarme con llave dentro del costurero; agazapada ahí, paso toda la noche.

Mi collar desapareció y, con él, el coraje de acercarme a Pablo, aterrada de que mi inesperado amor por él haga volver a la niña. Durante estos tres meses ha sido como un invitado; él parece comprenderlo, aunque está triste, se encierra igual que mi padre en el despacho. Hay tanto tormento acomodado en esta casa. Voy al médico: estoy embarazada; recibo la noticia con la sumisión de mi madre, no encuentra eco dentro de mí, estoy vacía, se lo digo a mi marido con palabras planas como mis sentimientos; así lo oye él.

Me refugio en la banca del parque. Pablo y yo recorremos la rutina de esta casa en luto, solitarios, despegados de nuestros cuerpos muertos, y hasta de la obligación de sufrir. Él espera en el despacho. Yo, sin atreverme a entrar; él, sin poder salir a salvarme del frío de esta banca donde la niña, desde mi vientre, lo ordena todo, socavándonos.

Qué extraño. Que el departamento a estas horas estuviera totalmente a oscuras. Crucé la avenida. Antonio ya debía de estar en su estudio, leyendo y tomando su primer whisky, como todas las tardes. Había sido un día espléndido. Aproveché para hacer mis primeras compras navideñas. Qué placer llegar cargada de paquetes. Maravillosa diferencia con el año pasado, cuando sólo quería dormir. Antonio y Cleo, justo el día 24, tuvieron que irse a París a una subasta. Nos volvimos a encontrar hasta mediados de enero. No había sido la primera navidad que pasaba sola, pero sí la más triste. A las ocho de la noche ya estaba en cama con un libro y una pastilla.

Abrí la puerta haciendo equilibrio. No había caminado cinco pasos cuando tropecé con un bulto grande que estaba en el suelo. Los paquetes que traía salieron volando y yo de milagro me sostuve en pie. Esquivándolos y suplicando que nada se hubiera roto, encendí la luz. Una junto a otra, las maletas de Antonio. Ay no, de nuevo otro viaje, no lo resisto. Antonio viaja únicamente con las dos grises. Ahí, ante mis ojos, había siete, y a un lado la de Cleo.

Sin encender más luces, ni recoger los paquetes, me dejé caer en el sillón. Deprimida, furiosa, impotente, no me podía mover, ni pensar. No sé cuánto tiempo pasó. Un whisky me caería bien. Otra vez sola. Antonio nunca ha aceptado que los acompañe. Con la copa en la mano descubrí un sobre en el escritorio. Lo abrí. En aquella penumbra vi su letra, impecable, precisa:

"Nos vamos. No hay razón para perder más tiempo contigo."

Ni siquiera había firmado. La volví a leer, quinientas, mil veces, sin poder entender. Al fin, en voz alta, me lo expliqué a mí misma: Antonio me abandona. ¿Por qué? Las cosas están igual que hace nueve años cuando nos casamos. En aquella época, él quiso un hijo, no lo tuvimos y se conformó.

Tomé un trago de la licorera. Luego otros más. Intenté llorar. ¿Por qué?, volví a preguntarme, si nada había ocurrido. "Nos vamos", descarta la existencia de otra mujer, pero implica la despedida de Cleo. Entonces, Cleo se va con él, y me deja sola. Sola cuando ha sido mi único amigo, el más querido. No obstante, es incapaz de contradecir a Antonio. Por eso me deja. "No hay razón para perder más tiempo contigo". ¿Por qué? Si los tres hemos sido apaciblemente felices, ellos con sus antigüedades, yo con mis clases de arqueología. Estrellé la licorera contra la chimenea. Me sorprendió mi inesperada violencia. Por qué hoy y no hace siete años, cuando se nos murió la esperanza de un hijo. Antonio tiene razón, cuánto tiempo perdido.

Él detestaba no encontrarme en casa, y no cedió hasta que dejé mi carrera. Tenía una oferta de investigación por la que cualquiera hubiera dado la vida, aunque yo ya se la había entregado a este hombre que hoy, sin motivo, sin explicaciones, me abandona.

Fui a preparar un té, mas no tuve paciencia para esperar en la cocina a que el agua se calentara. Estaba helada y ni siquiera me había quitado el abrigo. Regresé al estudio y bebí un trago largo de la licorera más a mano. Pensé cosas que antes ni en sueños se me habían ocurrido. Volví a releer la nota. Cleo y yo hemos sido dos objetos al servicio de Antonio. Antonio piensa y decide por él. Cleo, siempre dulce, siempre dócil, era enorme su timidez antes de conocer a Antonio. Cuando nos presentó andaban juntos para todos lados, no se separaban ni un instante. En cambio yo, no recibía de él ni un poco de cariño.

¿Hace cuánto que sé que jamás me ha amado? No me he detenido a lamentarlo. La ternura de Cleo ha dulcificado tanta frialdad. Nuestras apacibles rutinas me han ido dando una felicidad suave. No es cierto. No he sido feliz. Me he hundido en un letargo para olvidar que yo quise otra cosa de mi vida. Y ahora, cuando dejé pasar tantas oportunidades, me abandona.

Fui al baño, encendí las luces y me observé en el espejo. Me vi a los ojos: cuánta ira me devolvió mi mirada. Busqué el lápiz de labios y me pinté. Mis labios de seda roja.

Cleo, mi fiel, mi secreta pasión. Su ternura tiene mil palabras, mil tonalidades amorosas. Regresará conmigo. Siento menos frío así, acurrucada en el sillón. La tetera me avisa que el agua está hirviendo; ya no me interesa. Cleo volverá conmigo.

Tienen que venir a recoger su equipaje. Necesito razones. ¿Las necesito? ¿No es suficiente el que jamás me haya amado? Mis manos ásperas de lavar la vajilla que le heredó su madre, enrojecidas de planchar incontables camisas, pañuelos. Mientras él lee, yo recoso botones, valencianas. Cleo me ayuda cuando no lo advierte Antonio. ¿Por qué hemos permitido todo esto? ¿Cómo es que hasta ahora me doy cuenta de tanta servidumbre?

¿Y yo, y mis horas, y mis pensamientos, y mi intimidad? Hace años pensé que debía estudiar un poco para ponerme al día. Compré un libro muy recomendado y lo devoré fascinada durante un viaje de Antonio. Fui a la biblioteca de la universidad, me sentí estremecida por la vida. Cuando Antonio regresó, sus ironías, sus desdenes, restablecieron el orden. Devolví a la biblioteca los volúmenes que había pedido, y olvidé el libro maravilloso que había comprado. Olvidé todo. ¿Qué me pasó? ¿Cuándo?

Nací mariposa de alas enormes, de colores bellísimos. Iba a conquistar el mundo y caí ilusa en el capelo de Antonio "el coleccionista". Me arrancó las alas y luego se compadeció por tener que vivir con un gusano. En el baño siguen encendidas las luces. Voy a buscarme al espejo: larva patética con mi boca roja de sanguijuela. Con el dorso de la mano trato de quitarme esta asquerosa pintura que parece una mancha de sangre y sólo logro embarrarme la cara, ensuciarme más. ¿Hace cuánto que no hacemos el amor? Eso sí lo recuerdo: el día de su santo, antes de cumplir dos años de casados, fue la última vez. Con Cleo deseé hacerlo antes de conocer a Antonio. ¿Desearía hacerlo ahora? ¿Con cuál de los dos? Cuando nació muerto su hijo, murió mi femineidad. Nunca me he vuelto a acordar que soy mujer, o de que lo fui. La brillante promesa de antropóloga, resultó ser una criada mediocre.

El ruido de la cerradura. Apago las luces como queriendo esconderme. Las pisadas suaves, temerosas, son las de Cleo. Salgo abrazándcme dentro de mi abrigo, intentando ocultar mis labios, mis mejillas. Sorprendo a Cleo sacando al pasillo una maleta. No pensaba despedirse de mí.

—Creí que no estabas, ¿te sientes bien?

—Cleo, ¿leíste la carta?

Tropezó con un paquete, se ruborizó hasta las orejas, hasta el cuello. Me daba la espalda.

—Sigue sorprendiéndome tu transparencia, tu bondad —le dije.

Fingiendo no haber escuchado, sin volverse a verme, sacó otra maleta. Me erguí en el quicio de la puerta con un vigor olvidado, con los brazos extendidos, cerrándole el paso. Su cara de sorpresa, su gesto de rechazo, tan inesperado, me recordó la pintura corrida en mi cara. Bajé los párpados y me tapé la boca con la mano.

—¿Has bebido?

—Sí. ¿No crees que tengo suficientes razones para hacerlo?

—Por supuesto, las has tenido desde que conociste a Antonio.

Había algo horrible en los ojos, en el tono de la voz de Cleo. Su mirada me devolvió la misma ira seca que había yo encontrado antes en la mía, frente al espejo.

—Cleo, ¿qué pasa? Yo también te amo. Voy a ayudarte. No sientas miedo. No tienes por qué seguir a Antonio, por qué vivir recibiendo órdenes. ¿Va a venir a despedirse?

—No.

—Ves, todo es fácil. Pero explícame. Necesito saber qué hice mal, por qué me abandona.

—Antonio me espera en la estación.

—Yo te he estado esperando siempre. Ya no importa, necesito que me confieses tu amor.

El gesto de Cleo fue un latigazo que me cruzó la cara. Me jaló y cerró la puerta con furia. ¿Qué pasa? Este demonio no es Cleo, sólo por fuera se le parece. ¿Qué le habrá hecho Antonio? Me llevó tomada de la muñeca, lastimándome y me arrojó sobre el sillón.

—Sí, yo también necesito confesarte mi inmenso amor.

Siento miedo, es absurdo, quisiera evitar que hablara, que me siguiera hiriendo con su mirada. Debía de verme muy triste, muy sola.

—Después del viaje ¿vas a regresar conmigo?

—Obviamente, no. Más valdría no haberte encontrado hoy, no estar aquí, no hablar contigo. Me voy con Antonio, nunca te volveré a ver, ya tenemos un departamento en Cap de Antibes.

—No puedo explicarme cómo logró Antonio convencerte.

—Sabes que no tuvo que convencerme, que siempre he estado dispuesto, deseándolo. Viví esperando a que Antonio decidiera dejarte. Lo olvidaba, hace un momento querías que te confesara mi amor. ¿Te has visto en el espejo? Mira cómo vas vestida. ¿Te oyes hablar? Me repugnan tus frasecitas arqueológicas, eternamente las mismas, tus temorcitos frente a Antonio, tus carreritas con la tetera. Te aborrezco cuando en silencio pones la mesa, en silencio lavas los platos, para no molestar a Antonio. Tú eres la molestia. Desde hoy dejas de ser un obstáculo entre Antonio y yo.

—No, no es cierto, los tres hemos vivido felices. Cleo, te desconozco, para qué inventas todo esto. A mí también me da miedo quedarnos tú y yo solos, sin Antonio.

—Antonio es un ser superior. Jamás lo mereciste. Ni siquiera lo conoces. Tuviste su cuerpo algunas veces. Estabas a mano, te eligió para engendrar a su hijo, que le entregaste muerto. Antonio nunca fue tuyo como es mío.

—Todo lo que dices es horrible. Sabía que ya no lo amaba, pero he sido feliz cumpliendo sus caprichos, cuidándolo. Sus recuerdos de ese hijo muerto fueron barriendo, sin ruido, mi amor, dejando en su lugar un sereno tedio, que sólo se vive en familia. Nuestra familia, Cleo. Hasta hoy sé cuánto rencor le he tenido, sé que hace mucho que dejaron de serme indiferentes sus abusos, su despotismo, sé que al obedecerlo lo odio.

—¿Por qué no te fuiste si era lo que todos deseábamos?

—Porque ya lo único que sé hacer es servirlo; igual que tú.

166

—Con la leve diferencia de que a mí me ama. Antes morir que ser abyecto como tú. A mí Antonio me necesita y yo soy feliz a su lado.

—Cleo, tienes que ayudarme, yo sola en esta casa... Podría ir con ustedes, viviríamos como siempre hemos vivido.

—Eres imbécil. Te lo repito, has sido el único obstáculo entre Antonio y yo. Al fin te quité de en medio. Cuánto te he detestado. Gocé cuando imaginaste que yo te amaba. Jugué alimentando tus fantasías en los momentos en los que te odiaba más intensamente. Me divertía. Ya no existes. Antonio es sólo para mí. Ellos no tienen la menor importancia.

Tomé un cojín y lo oprimí contra mi rostro. Quería desaparecer, morirme, volverme loca. No podía ser verdad. Cleo, sentado en el sillón de Antonio, imitaba su forma de reclinar la cabeza. Me observaba con un regocijado desprecio.

—¿Te diviertes mucho con tu juego? Eres malo, perverso. Qué patético, soy la última en enterarme de que Antonio y tú son homosexuales, de que siempre han sido amantes.

—Homosexuales, evidentemente. Amantes, nunca. Antonio me adora, no arriesgaría nuestro amor en una pasión carnal. Ellos no cuentan, pasan, son diversiones de un verano, de un fin de semana, de una tarde.

—¿Ellos? ¿Quiénes son ellos? Es terrible lo que insinúas.

—No insinúo, claramente hablo de las aventuras de Antonio. Nunca me permite que lo acompañe en sus viajes. No me duele, quedo tranquilo. Sé que va a regresar a mi lado.

—Pero ahora te vas con él.

—Ahora es diferente, éste no es un viaje. Antonio se

va con el hombre al que siempre ha amado, y yo voy a cuidarlo.

Se levantó. Sacó las maletas. Cerró la puerta. Y se acabó todo.

La olvidadiza vida de Porfirio Said

Porfirio era el penúltimo de muchos hermanos. Sus padres lo olvidaban a menudo, lo que lo llevó a quedar convencido de que ello era la causa de haberse vuelto tan olvidadizo. Tenía incontables amigos, siempre se sentía bien, en cualquier lugar estaba como en casa y todo el mundo era feliz de tenerlo cerca.

Era tan independiente, aun de sí mismo, que se adaptaba a todo como una gran ósmosis, se unía y se desprendía de los lugares y de sus personas, con la misma naturalidad con la que los olvidaba y con el mismo gozo con el que los volvía a encontrar.

Desde niño tuvo tantas casas, que ni la de sus padres prendió alguna raíz en él, tampoco lo hicieron ellos, "los viejos", ni sus muchos hermanos también algo viejos. La vida le fue trayendo y llevando, muertes, matrimonios, nacimientos, pero nada de eso hacía mella en la olvidadiza vida de Porfirio Said.

Enterró a sus padres, asistió al matrimonio de varios de sus hermanos, no de todos, pues le fue imposible tenerlos presentes; conoció a algunos de sus sobrinos y a su futura esposa, con la que vivió el matrimonio ideal. Se adaptó perfecta y totalmente a ella, y como ella nunca estaba, su casa y su mujer le fueron agradablemente ajenas.

Los años pasaban a su lado sin molestarlo, hasta que llegó aquella noticia que modificó, aunque sólo temporalmente, la olvidadiza vida de Porfirio Said.

Paco, su único hermano menor, estaba agonizando.

Sería injusto confundir al lector, haciéndole sospechar que se le revelará algún misterio o pasión oculta en el corazón de Porfirio, algo que por fin lo aferrara a alguien, aunque sólo fuera a Paco, el menor.

Su problema fue que se aferró por primera vez a una convicción; sin que él se diera cuenta, ésta se le fue arraigando entre el alma y la cabeza. "Todo está bien, mientras transcurra en voz baja y en ordenada armonía". Porfirio, que reverenciaba sin límites a las buenas formas y a la tranquilidad, descubrió que la Señora Ley Natural era en excelencia recta, invariable y sabia. Ella dirigía, en concierto magistral, a la vida, que bajo su batuta nace, crece, se reproduce, envejece y muere, siguiendo un orden óptimo, perfecto y por ello exquisito. Los padres serán enterrados por los hijos, los hermanos mayores por los menores, los ancianos recibirán reverencia, los hijos buena educación. Los niños serán adorables, de lejos, en el jardín; las personas ya mayores en su mecedora y, por lapsos breves, respetando su reposo, los adultos en las sobremesas. Sólo así la vida puede ir girando sin estridencias. La Madre Naturaleza le regaló, a su converso, la serenidad del devenir de cada día. Su ley tan natural lo liberaba de cualquier preocupación balanceándolo con delicadeza sobre su universo.

Su padre, por ser mayor, había muerto antes que su madre, sus hermanos, tantos y tan viejos, también habían cumplido religiosamente el "Orden Said", le sobrevivían tres hermanos mayores, por lo que, quedando cuatro en lista de espera, era inaceptable, más bien imposible, la anunciada e irrespetuosa muerte de Paco el menor.

Porfirio, inadecuadamente angustiado, habló con los hermanos mayores, quienes ignorando la blasfema irreverencia hacia "El Orden", le fueron confirmando la agonía de Paco el menor; citando palabras del médico, desesperaciones de la esposa y de su parentela: los hijos, por supuesto, no sabían nada, eran demasiado pequeños, aún no habían cumplido los 21 años.

Porfirio no tenía alternativa, iba a intervenir en vida ajena, que para él lo era hasta la propia. Consideraba preciso aclarar de inmediato la confusión. Decidió ir esa misma tarde a casa de su hermano el menor. Nada de Paco ni de amables tolerancias. Porfirio se le enfrentaría drásticamente con toda la autoridad que le daban los años. No se molestaría siquiera en hacer mención de la absurda anunciada muerte de Paco, la que atentaba contra la paz de todos los hermanos que le precedían, rompiendo "El Orden" y conjurando el caos en el seno mismo de la vida de los Said. Estaba preparado a chocar contra algún capricho de Paco, por ser el menor; pero llegado el caso, Porfirio sería inflexible con la esposa, cuya obligación era tener todo bajo control. Si fuera necesario, desafiaría al médico, en el improbable caso de que éste existiera.

Sin poder quitarse el peso de la visita que haría esa tarde, su desusada memoria le mostraba, como si acabara de estar ahí, la larguirucha y graciosa casa de Paco el menor, sus ventanitas de madera pintadas de verde, los visillos siempre tan limpios que entresoleaban los interiores, los aleros con alegres pretensiones parisinas, angostitos y ufanos como toda la casa; la puerta con sus dos escalones, y el garaje al lado, tan estrecho que más semejaba entrada de sacristía.

Sin poder abandonar su inveterada costumbre de andar perdiendo el tiempo, ya era de noche cuando llegó a casa de Paco el menor. Los faroles alumbraban el parquecito de enfrente, la estatuilla en su centro, la suave calle como de paseo; la penumbra volvía aún más apacible la uniformidad de las casitas vecinas, jugando en corro. Porfirio encontró entreabierta la puerta del garaje-sacristía y, como siempre, queriendo evitar molestias, se coló por ella. Cruzó la cocina, entre tan buenos olores, que logró recordar que Paco el menor era un gordo goloso.

Alrededor de la mesa cenaban, con sorprendente apetito dadas las circunstancias, tres mujeres; Porfirio escogió, entre turbios olvidos fisonómicos, a su cuñada, suponiendo que las otras dos, por edad y confianzas, serían sus hermanas; el hombre que cenaba en la cabecera, el cuñado de su hermano; una chica taciturna y un niño regordete, sus pobres sobrinos que no sabían nada.

La familia no supo ocultar la sorpresa, lo que era de esperar cuando se entra por la cocina después de quince años de ausencia. Porfirio saludó, titubeó, y su perfeccionada ósmosis fue más fuerte que la convicción que lo había llevado a esa casa. Con la dulce levedad que lo caracterizaba, sólo preguntó si el doctor había llegado. Todos asintieron tranquilizados y su cuñada explicó que, en ese momento, estaba arriba. Porfirio sonrió, ya sintiéndose en su casa; la familia sonrió, sintiéndolo ya de casa. Porfirio desdobló su deliciosa fachada social. Le ofrecieron café con leche y lo aceptó condescendiente. Le bastó la mirada de doce ojillos que saboreaban su persona para descartar más del 80% de los temas de conversación que él tenía encantadoramente puestos; recorrió con un monóculo invisible algunos muebles, las alfombras y los cuadros; distrajo, sólo un segundo, la mirada sobre la loza del Ánfora y descartó trece temas más. La familia le ofrecía, con solícita gratitud: ¿Pan dulce? "Sí" ¿Con mermelada? "Sí" ¿Un poco de guisado? "Sí" ¿Sopa? "Sí". Y así, cenando en reversa, Porfirio derretía a los parientes de Paco el menor.

Intermitente, Porfirio recordaba su misión, y entonces se esforzaba preguntando: ¿Y el doctor, bajará pronto? "De seguro", respondía cualquiera de ellos deseando rete-

172

nerlo para siempre. Después del consomé, recomenzó con otros dos cafés con leche; Porfirio hacía un intento enorme por no perderse, "esta taza y basta, tengo que entrar en materia". Cuando ya no podía terminar el cuarto café con leche, de la segunda tanda, oyó a su cuñada opinar, ceñuda:

—Mi marido no es muy bromista.

El cielo se abrió para Porfirio Said.

—Eso es precisamente lo que he estado pensando estos últimos días, me encanta coincidir con usted, ya que a nadie con un buen sentido del humor se le puede ocurrir una broma tan patética, una broma imperdonable como la agonía de Paco, una blasfemia en contra del orden más venerable de este mundo, el de la Señora Madre Naturaleza. Ellos —dijo señalando a los niños que nada sabían—, tienen que ir creciendo antes de envejecer, y esperar morir con dignidad cronológica. Usted, querida cuñada, tiene derecho a exigirles que ellos rodeen su lecho de muerte; para eso no se necesita mucha cultura, ningún refinamiento, hasta los animalitos lo saben en el momento de nacer.

Los animalitos, que no sabían nada, mantenían el tenedor paralizado en el aire. Porfirio salió de su monólogo y se encontró siete quijadas caídas y siete miradas temerosas. De nuevo, dirigiéndose a su cuñada, aseveró:

—Ya que está de acuerdo conmigo, debe de sentirse como yo: ofendida, furiosa, ante la inmunda tragicomedia que representa Paco con su barata parodia de agonía. Si me permite subir a su recámara lo meteré al "Orden Said" en pocos minutos. Ya estuvo bueno de agonías, de las inclemencias en las que casi hemos zozobrado por su malcriadez.

Porfirio guardó silencio poniéndose de pie, en espera de una señal de la familia para subir la escalera. Las quijadas de la familia, aún más caídas, se sostenían en total silencio. Porfirio no sabía qué hacer, escrutó los estupidizados rostros que lo observaban, apretó el nudo perfecto de su corbata y, bajando la voz, ya no tan segura, al carecer de la autoridad que antes le diera la "Ley Natural", agregó:

—Su amable silencio y el hecho de estar en casa de Paco Said, mi hermano el menor, me alienta a subir en aras de un deber supremo.

Sus últimas palabras hicieron castañuelear la mandíbula de su cuñada que, poniéndose de pie, pió, como un gallo afónico queriendo pelear:

—Ah, no, ésta es, y seguirá siendo la casa del doctor Gómez, mi marido.

En ese momento hacía su aparición el médico, sorprendido por tanto grito, en su modorra y en su bata arrugada. Dijo con abierto mal aliento y humor:

—¿Qué demonios pasa aquí?

Porfirio retrocedió sin tenderle la mano, cerró la nariz y, sin mirarlo, como distraído, dijo:

—No creo tener el disgusto de conocerlo.

La cuñada, habiendo perdido la razón, desentonaba a gritos:

—Cómo se atreve a hablarle así al doctor Gómez, a mi esposo.

Porfirio regañaba aturdido:

—No creo, señora, que sea el momento de crear mayor confusión, de hacerme creer que esto sea el médico que diagnostica que el pobre de mi hermano Paco Said agoniza, sólo eso faltaba, vestido como un fantoche.

Los humores y el aliento del doctor empeoraban a medida que se le acercaba:

—El Señor Said, que según usted, yo digo que agoniza, no es paciente mío, pero usted sí que es un majadero que se ha atrevido a invadir mi casa y a levantar la voz en ella.

Abriendo con la mano la puerta, trató de coger a Porfirio del brazo con la otra, para lanzarlo a la calle. A pesar de que Porfirio estaba nublado por un profundo estupor, logró escabullirse y salió como había entrado, por la puerta de la cocina.

Porfirio sentía coraje por primera vez en su vida, no contra Paco ni contra su cuñada, ni siquiera contra el doctorcillo; se odiaba a sí mismo por haber caído en la trampa. Sí, le dolía haber sido vejado en la casa de un Said. La cocina, mientras salía tropezando, le olía a éter y a huevo podrido. Maldijo el procaz sentido del humor de Paco el menor y de su mujer, haber llegado al punto de contratar a ese pestilente hombrecillo y pretender hacerlo pasar por una eminencia médica, haber querido embaucarlo a él, diciendo que el doctor era el marido de su cuñada, como si Porfirio lo fuera a confudir y a reconocerlo como su hermano Paco el menor. Qué ignominia haber mencionado las Jerarquías y la Ley Natural en ese teatrucho. ¡Qué ultraje!

Las primeras horas se sintió muy solo con sus convicciones, desubicado con sus jerarquías. Ya en la cama, Porfirio escalaba de nuevo por su árbol genealógico: abuelos, bisabuelos, tatarabuelos, choznos; todos dentro del "Orden Said". Medio dormido, digiriendo su cena al revés, creyó estar seguro de que ninguno de ellos había muerto antes de los ochenta años. Todos rectos y longevos. Cómo podía haber olvidado este dato tan conmovedor.

En su plácido duermevela, se sentía conmovido al recordar lo agradable que era la familia de su hermano; no negaba que le hubiera gustado saludarlo, aunque él fingiera estar agonizando. Lo que nunca pudo compren-

der fue que su hermano Paco el menor, pudiera ser tan
amigo de ese doctor Gómez, tan fachoso e impertinente.

Desde arriba, prisionero de Zenda en su torre, vio a través de su monóculo a Cordelia, más bella que ayer, deslumbrante en su blancura, tomando el sol en las rocas, adormilada. Le pareció que entre sorbo y sorbo, sonreía.

Jamás he estado cerca de nadie, ni siquiera de mi propio cuerpo. El tiempo ha llegado. Es el momento de construir mi torre y en ella recluirme para habitar libre en las alturas. He consultado al Tarot y recibido instrucciones precisas.

Ayunando de nueve a nueve treinta de la mañana, buscarás la tierra prometida, para en ella asentar, levantar y acostar tu torre. La encontrarás lejos de la ruindad del mundo. A tres horas de distancia cuando menos. La cercarás con un muro de siete centímetros de alto por seis metros de espesor. Ahí continuarás en sandalias de cuero de becerro nonato, martes, miércoles y viernes, el arduo camino de los elegidos, el resto de la semana lo harás con un collar de higos secos.

Al fin he hallado mi tierra de promisión. La recorro de rodillas, orando. Estoy preparado, aunque temeroso de ser indigno, de que mis flaquezas la mancillen.

La torre será más o menos perfecta: morada de dioses será

o roja, puerta del cielo se elevará circular, mediante un
obtuso mecanismo. Decreciente, coronada por un tem-
plete los sábados. Torre de Babel. Quedará circuncidada
por sesenta y nueve metros de tierra fértil, contándolos
desde el punto preciso en el que te halles parado.

De un solo y penoso esfuerzo he logrado terminar su parte externa. Vista por dentro es un
enorme cilindro hueco. En el centro han quedado
preparados los cimientos para la escalera, que la
estrella de Venus iluminará cuando sea digno de
iniciar mi ascensión.

Colocó cerca del hogar de la cocina su póster de
Madonna, una mesa para veinticuatro invitados, sobre
la que apiló su enciclopedia británica, sus sagradas cartas del Tarot, su escudilla y los escasos palillos chinos
que le quedaban para alimentar a su enjuto cuerpo sólo
cinco veces diarias. Se azotaba con un fino La Ina o con
un látigo, doblaba, desdoblaba y volvía a redoblar sus
penitencias. Aún dormido el día, para no despertarlo,
hacía sus abluciones matutinas con agua callada; su rostro olvidado, sin espejos, se empezó a poblar de una
espesa barba que le cubría media cara, y su cabello a crecer indiferente.

En tu fértil tierra cultivarás dorado trigo, hojuela de avena
y epazote, este último será vuestro único alimento.

A las cinco de la tarde cambio mi hábito negro
por ropas de faena y salgo a labrar mi tierra.

Tu reino de este mundo será habitado por una creatura:
símbolo de la ofrenda que harás de ti mismo, de tu pureza,

de tu humildad, desnudo de la cintura para abajo.

> Esta creatura ha sido concebida para mí, mas me
> veo obligado a salir al mundo, a reconocerla entre
> todas. Cuando la encuentre sabré por su luz que
> es ella la enviada, la elegida.
> Cordelia. Cordelia.

Dos veces creyó haberla encontrado. En la primera le puso
sobre aviso algo malicioso en la mirada de ella. Cordelia
debía de tener la simplicidad del buey que se da en
ofrenda. La segunda vez, parecía reunirlo todo, sintió un
vahído al verla, pero al acercarse, ella le ofreció el trasero con un orgullo que la envileció.

Como todos los encuentros amorosos por más busca-
dos que sean resultan intempestivos, una tarde inesperada la descubrió. Temblando, caminó hacia ella con su
máscara antigases, sus pies casi no tocaban el suelo, su
cabello levitaba en alturas vertiginosas: ella dio un brin-
quito hacia él, él entonó *La Internacional* y la pureza sin
mácula de Cordelia le dio cardillo.

> Paralizado, mudo, soy incapaz de hablarle, menos
> de tocarla. Está tan cerca de mí, que aspiro, sin
> haberlo podido controlar, su aroma frutal de tie-
> rra santa, de flores, de dulcísima ternura. Ladrón
> arrepentido, caigo de rodillas frente a ella.

Cordelia lo husmeó, le olió a podrido, de un mordisco
le arrancó una manga del hábito, pero no importó, él,
hombre precavido, tenía tres. Empezaron a caminar bajo
el arcoiris, donde había menos polvo, rumbo a la torre.
En un principio ella parecía conocer el camino, luego sacó
su guía Michelin. Él lo había planeado todo: antes de lle-

gar a sus dominios, se detendría, la tomaría entre sus brazos peludos, y con ella protegida contra su pecho, cruzaría la cerca, la puerta de la torre. Observó melancólico que la antena parabólica había desaparecido. Cordelia se cansaba, sus pasos eran cortos, aburridísimos. Él se detuvo, amorosamente, se tomó una Coca Cola y la llevó sobre su lomo hasta el calor de la chimenea eléctrica.

Ella despierta, aterrado aguardo sus reacciones. Empieza a curiosearlo, a lamerlo todo. No oso interrumpir sus pensamientos, sus rubores. Toco todos los descuidos de mi cuerpo. La ayudo a recostarse en el lecho y ella, sin una última mirada, se vuelve a dormir tranquila, profundamente.

Tu ascensión espiritual te permitirá construir, uno sí y uno no, los cincuenta y seis peldaños y medio de la escalera que se elevará hasta tu nueva morada o verde. Primer nivel de purificación. La situarás exactamente a cierta altura de la torre.

Le explico a Cordelia cada uno de los simbolismos que Babel guarda: el porqué de la orientación, del color, del ancho de la base, del ritmo con el que se angosta a medida que se va elevando, la iluminación del Templete, el porqué de su altura, el porqué de Babel. Le insisto que no hay nada en la torre que no responda a una necesidad imperiosa para llevar a cabo la transmutación de mi espíritu, del que ella es imagen, la renuncia a mi cuerpo mortal. Cordelia sólo de vez en cuando atiende lo que con tanta pasión le señalo.

Los intereses de Cordelia eran otros, se parecían a los de Marilyn Monroe. Él la comprendía, era aún muy joven, le lavaría los dientes, la enseñaría a nadar, le compraría unas medias negras, la transformaría.

> Oh, espíritu mío, en la luz de Cordelia te ofrendo mi pureza; en su mansedumbre, mi humildad. "Perdón, Cordelia, me confundo. Enséñame la docilidad de tu lenguaje". Cordelia duerme.

Ya no podía meditar, urgido la seguía en taxi durante sus paseos por el campo, explicándole sus ansias de inmortalidad, mordiéndose la conciencia y arrancándole las patas a un ciempiés amaestrado. Ella, cubierta de bronceador, bostezaba. Él, mesándose los molares, gritaba: "Bush, Bush..." con la intención de despabilarla o al menos cargarla con una pesadilla.

> Espíritu mío, no me abandones a mis ojos ciegos por ella.
> Mi cuerpo, que cual un caracol que se adhiere a la forma de su concha, había ido tomando la forma de la torre, ahora se inclina, limpia la tierra por la que Cordelia va a pisar. El Templete se oscurece, sin estrellas que lo iluminen.

Se arrancó de ella, sentado, comiendo panuchos, vio cómo su espíritu abandonaba su cuerpo para ir a mandar un fax. A Cordelia le fascinaba tomar el sol. Cuando amanecía nublado ella se aburría como el mar muerto. Él recordó tiempos que creía perdidos: 489 A.C. cuando fue profeta de arenques ahumados. Cerró la puerta, dejándola en el prado durante las horas del día.

Vivo en el infierno separado de ti, adivinando lo que estás haciendo. Bellísima Cordelia nunca te he visto llorar, me abomino al imaginar tu faz de ángel empapada en lágrimas.

La carta nona del Tarot le ordenó que sembrara el dedo gordo de su pie izquierdo junto a unos rábanos eróticos de Rivera. Su espíritu huía de las meditaciones, hasta que fue detenido en Sears cuando intentaba robarse una videocasetera. Volvió bajo fianza y apenado a seguir en cojo los sonámbulos pasos de Cordelia.

Las primeras sombras la asustaban, y gritaba en forma desgarradora, aunque fueran segundos los que él tardara en abrirle. Él oraba y gemía sentado en su bugati rojo. Cordelia entraba furiosa, con una pancarta y un plátano macho, pero debido a que la manta estaba escrita en arameo, él se devanaba los ojos sin lograr comprender. Ella se arremolinaba tan fuerte cerca de la chimenea que siempre fundía los fusibles. Felinescamente besaba sus propias manos para hacer evidente su desamparo, la falta de amor, la crueldad de que era víctima, su soledad. Él volaba a traerle una hamburguesa de McDonalds, aterrorizado de causarle un disgusto, una pena más. Ella, satisfecha, se tiraba en el catre, jugaban a la oca y luego se la merendaban antes de dormir.

Nunca apago la vela, la dejo consumirse, gozando embelesado hasta el último instante de tu perfección. La oscuridad llega siempre llena de terror, terror a la torre hueca, espiral deshabitado que me reclama mis bajezas, me desprecia, aquí tendido tan cerca de ti, mi Cordelia. El Tarot se niega a hablarme.

La voz del Tarot se dejó oír. Una tos atronadora entró por el Templete para comunicarle el mensaje: llevar sandalias sin calcetines rosa pálido era un gran disparate. Encerrado, revuelto en sopa de fideo, arrancándose los callos y los padrastros, ató con el fino látigo su cintura a una argolla que pendía del muro. Se encadenó para no abrir la puerta, para expulsar a Cordelia de su alma. Nunca más le volvería a dar shampoo con salsa bearnesa. Ella lloró hasta que despuntó el alba y se le terminaron sus gotas de colirio. Cada lágrima, cada gemido, encharcaban las orejas del hombre enmoheciendo sus arracadas de oro. Su corazón era una flor muerta de la que ya se había bajado hasta el último pasajero a Kansas. Perecía la esperanza de una enloquecedora caricia, de volver a encontrar la niña de los únicos ojos que hasta ahora lo hubiesen mirado. Aquel que no perezca por atrás, perecerá por delante o de lado, de modo que para qué seguir apostando a los gallos.

> Aprovechando un paseo de Cordelia, recojo suave musgo del esqueleto de una hiedra, tejo para Cordelia un delicado nido que coloco en el prado muy cerca de la puerta de la torre, con la inconfesable esperanza de que un día ella entre de nuevo, con el perdón en sus ojos infinitos.

El sufrimiento de tener las uñas tan sucias era tal que se confundía con la locura. No tenía duda de que existiera otro mundo hasta ahora invisible en el Templete, lo malo es que quedaba muy lejos de Acapulco. Enojado más que enajenado meditaba perdido, cuando dio a luz Venus sobre los cimientos de la escalera. El angosto espiral comenzó a ascender por el elevador Otis y el hombre a alejarse de este mundo traidor y maquillado.

La escalera es sólida como mis creencias, fuerte como mi torre; mas he logrado darle levedad, fragilidad, ligereza, pues mi espíritu, liberándose de su cuerpo, sólo necesita rozar cada peldaño para elevarme a los arcanos mayores en los que debo habitar.

Subió extasiado, preparando su nueva morada, o amarillo huevo. Acomodó un burro de planchar y sobre él las cartas del Tarot.

Nada cuenta Cordelia en mis planes, durante minutos enteros la olvido. Desde cada escalón contemplo la alterada geometría que me ofrece mi torre, me cuesta despegar la vista del Templete, todo mi ser anhela el vértigo de las alturas.

Fue en ese momento cuando abrió la puerta, la que daba a Grecia casi esquina con Turquía, cuando vio a Cordelia dormida en su leche nido. ¿Estaría Cordelia dispuesta a olvidar sus dos entradas para el California Dancing Club, a seguirlo? ¿A renunciar a su bovina belleza bajo el sol de un tiempo compartido en Cancún? Espantó su pensamiento como alejando un ave de mal agüero que ya le había picado en la peca roja de su nariz.

Mandó a la tintorería francesa su esterilla, espulgó su hábito negro hasta que le quedó más inmaculado que la concepción. Subió a Cordelia de la cola, dormida, había tomado una sobredosis de opio. Por primera vez la contempló cerca del cielo, estaba estrenando sus pupiperros de ciego para verla mejor.

Cordelia se despierta sorprendida, desconcertada, no comprende en dónde se encuentra: abre muy grandes sus divinos ojos asustados, vuelvo a buscar su mirada que no es para mí. Cuando ve la escalera se asoma a distancia y enloquece. Camina hacia atrás con pasos lentos y no se detiene hasta recargarse contra el muro. Empieza a correr en círculo siempre pegada a la pared. En vano trato de tranquilizarla. Las primeras luces de la aurora rasgan el mirador del Templete y Cordelia sigue golpeando sus rizos destrozados contra el muro; sorda a los perdones que le imploro.

Confundido, creyendo que ella era poblana, le imploraba demandante: "Camote sientes", recordando el dulce típico de la región. Y no es que pensara que la vida era muy fácil para la polilla a la que le subarrendaba la planta baja. Su problema era de raíz, le urgía teñirse el cabello.

Lloro por primera vez, mi llanto es rancio, guardado desde mi primer sueño con una torre. Comprendo: Cordelia detesta mis alturas. Espíritu mío, perdóname este dolor ilimitado. Casi sin tocarla, la vuelvo a tomar entre mis brazos. En cada peldaño que bajo le doy su libertad, mientras se seca mi corazón moribundo.

Todo estaba perdido, masticó el chicle que siempre traía pegado en el centro de la frente. La recostó en su nido. Rasgó su hábito negro y lo humedeció en agua Perrier. Con sus diecinueve dedos de algodón limpió los rizos ensangrentados de su Cordelia y la entamaló como a una recién nacida. Cordelia, sin soltar el chupón, durmió todo el día.

A media noche Cordelia se despertó, se descobijó, se levantó y con pasos alucinógenos fue alejándose. Jamás volvió a entrar a la torre, a pesar de que la renta estaba congelada. Era una separación definitiva, como el nacimiento o la muerte, lo que ocurra primero o sea más fácil. Ella dejó el alma que le había robado tirada sobre el trigo, al lado de sus patines.

Tu cuerpo, una fina y purísima envoltura, liberará a tu espíritu. Ahí, más vestido por tu alma que por tu esqueleto (dicho de otra forma: tus trajes te quedarán demasiado grandes) estarás cerca de los dioses. Lejos de los sólidos escondites. Por tu Iusacell te hablará el espíritu.

Ya sin alma, profanó el Templete del que nunca más saldría. Su única falta había sido, en el entierro de su primera madre, falsificar la firma de un esclavo africano.

> Desde arriba, prisionero de Zenda en mi torre, veo a través de mi monóculo a Cordelia, más bella que ayer, deslumbrante en su blancura, tomando el sol en las rocas, adormilada. Me parece que entre sorbo y sorbo, sonríe.

Sin dolor, con indiferencia, siento cómo se me escapa la vida.

Socavado, mi cuerpo delata la destrucción, el despojo del que estoy siendo víctima.

Jules me aniquila. Me va a matar. Y yo soy su cómplice.

En este momento en que siento mi integridad pender de un frágil hilo, no quiero, no puedo abandonar mi terrible placer con Jules.

Cada devastador encuentro de nuestros cuerpos, estoy convencida de que va a ser el último, por absoluto, por infinito.

En Jules hay algo feroz que no admite tiempos, secuencias ni límites. Su posesión es total, encarnizada. Es maligno. El tacto de su mirada me vuelve voraz, más infernal aún que él mismo. En Jules hay algo de espectador: mezcla mis bajezas, mis pasiones, enerva mi lascivia, me tortura, mi espíritu se revuelca y yo lo azuzo. Me estoy matando. Vivo de su vida. Ya mi futuro, mis pensamientos, mi soledad y mi hambre desbocada por él están a su servicio.

Despreciándome, asqueada, obsesionada, espero su regreso. Por fuera, por dentro, famélica e insaciable.

Existo en horas nocturnas, sola, bajo sus deseos. Él desaparece, un giro descendente me chupa hacia el vacío, donde ya no tengo control ni voluntad. Miento. Tengo la implacable voluntad de tocar fondo. Ansío frenética que Jules se adueñe para siempre de mí. Ansío llegar al final.

Quiero en este cuaderno escribirlo todo, ordenar la confusión que me ha traído hasta esta agonía voluntaria. Leerlo mil veces para encontrar algo en mi enajenamiento, pues ya no me pertenezco, me he perdido.

Conocí a Jules aquí en su quinta "Resolution". Como cuando algo está fuera de lugar en una composición perfecta, Jules causaba un desasosiego inexplicable porque no había ningún motivo para sentirlo.

Jules. Gato montés. Huraño. Vibrante. Sacudido por una tormenta eléctrica en su interior. Refinado. Silencioso.

Sus ojos me palparon con el desdeñoso orgullo con el que se mira lo propio. Desde entonces vivo revestida por su mirada gris, de agua y arena revuelta, cargada de la sabiduría de la resaca que ya fue y reviene. Desde entonces vivo en sus ojos, en su figura nerviosa, larga, con su camisa, su pantalón siempre impecablemente negros. Desde entonces vivo de sus eternas manos enseñadas a explorar mi alma de mujer suya.

Jules usaba sólo una joya: un extraño anillo de caoba. Era supersticioso y de este modo siempre tocaba madera. En su rostro, un único signo de cansancio: sus ojeras, ojeras profundas, color de vino seco.

Aquella noche estaba con una mujer de pupilas absolutamente incoloras; su cabello ralo y pajizo le imprimía un toque usado a su persona. Ella no dijo arriba de dos frases en toda la velada. Ausente, bebía martinis secos; al terminarlos, tomaba cuidadosamente, con sus uñas maltratadas, con sus dedos torpes, la aceituna que quedaba al fondo de la copa, la lamía deteniéndola con sus labios, la frotaba contra sus dientes, iba gozando cada pequeña, lenta y cruel mordida. Cogió la mano de Jules y, acercando a su boca la punta del dedo meñique, jugó con él, como minutos antes lo hiciera con la aceituna.

Jules retiró su mano con indiferencia, y algo de asco. Ella tomó otra aceituna.

A media noche estaba borracha. Jules había decidido que se fuera; ella se iba sin una lágrima, sin un adiós. Al partir no dejaba nada de sí misma, ni siquiera su recuerdo.

Jules no me pidió que me quedara.

Todo de Jules me duele. Sus ojos, su desprecio, mi voracidad. Tirado sobre mí es un cúmulo de pesares desconocidos, un náufrago ansioso de sacrificarme. Sus dientes, siempre sus dientes. Sus ruidos de bestia se confunden con mis ávidos aullidos. Jules exprime mi hambre, mi alma. Me desfigura, me destroza, descomponiendo en mí a un ser desconocido que él necesita. El sol enceguecedor de la isla me lo oculta. Jules sólo aparece después del crepúsculo. Los primeros días lo esperé en vano, desterrada, sucia, sola, temblando con la necesidad en todo el cuerpo. Cuántas noches eternas sus manos no me tocan, no me permiten tocarlo; sólo sus dientes largos recorren mi piel, hincándose en ella; en lenta agonía, llevándome a paroxismos lindantes con la exterminación. Sus heladas manos apretando mis sienes, lo que queda de mi espíritu; sus ojos inclementes, líquidos, verdugos del futuro. Su cuerpo que yo a patadas, a golpes de odio hambriento poseo vaciándome. Estancados oleajes rugen, me envenenan, pidiendo más, a sabiendas que sólo tendré insomnio de sus manos, de que su fuerza radica en negármelas y la mía en hacerlo torturarme siempre que lo deseo. Mi cuello escuálido, vencido y amoratado es lo único que sobrevive de nuestras noches.

Todo aquí es escarpado, recortado a tajo, rompiendo a puñaladas el inmenso azul del mediterráneo. La quinta es como Jules: sólida, inclemente. Viejos cuencos de descolorida talavera portuguesa guardan tierra podrida, cerca de los más indispensables muebles.

El único adorno en "Resolution" es un cuadro de inestimable valor y de horrible belleza. Es un óleo de Munch, que logra mantener viva la soledad de una playa, de un mar, de una mujer que sentada de espaldas en su húmeda silla, contempla ese océano. De su frágil figura se desprende el horror de una mujer vacía. El cuadro no está colgado en el muro del comedor, sino puesto sobre la cómoda, contra la pared, como un huésped indeseado, como un hueco de dolor.

Nunca salí de "Resolution".

Sin contornos, sin secuencias, hemos convivido un idioma sin palabras, sin caricias. Mi cuerpo, mis sentimientos han perdido los límites que los individualizaban. No hay ningún movimiento que me acerque a Jules.

Estoy encerrada en una soledad irremediable.

Anoche me ordenó que me desnudara. Obedecí. Encuerada, como gata en cuatro patas, merodeé acechándolo, con las rodillas ya húmedas, desesperada, y Jules no se acercaba. Yo continué dando vueltas, cada vez más hostil, deseándolo hasta adentro. Me permitió acercarme; mientras permanecía inmóvil, sentado en su sillón. Mi piel se erizaba tan sólo de sentir su cercanía y él no me tocaba. Yo enroscaba mi cuerpo contra sus piernas tensas, sin poder resistir más mi necesidad de ser poseída. Jadeando, perdida en una caverna negra de pasiones, deseaba ser herida, recibir algo suyo. Lapidada, desbocada, arqueaba mi lomo hacia abajo, hasta poder frotarlo contra los dedos de sus pies apoyados sobre el suelo y así me acariciaba frenética, haciéndome daño con sus uñas largas, puntiagudas. Me le metía entre las piernas intentando escalarlo, tomarlo para mí. Jules me pateaba y yo, gata embravecida, aullaba maullidos estridentes. Con las uñas de fuera, empapada, jadeando, sin saliva, lamí sus pies desnudos, arañé sus muslos y brutalmente fui suya, sin poder tocarlo, sin quedarme con nada de él.

No hay luz eléctrica en la quinta. Los viejos quinqués no logran alumbrarla. Esta penumbra me recuerda siempre los minutos lentos que se me vienen encima cuando el sol ya ha descendido. Sola, paso mis días sentada en este comedor, cautiva en el cuadro de Munch, y me voy yendo dentro de él. He aprendido a reconocer cada rincón de la playa, cada pedrusco, a ver mi espalda en la de esa mujer. Me he acomodado en su silla, que ya es mía. Paso las horas escribiendo en este cuaderno una historia que se me va deshilando, que va perdiendo su continuidad, evaporándose. Paso mis tardes en este comedor, bebiendo martinis secos, repito el ritual de las aceitunas: devorándolas lentamente, mordiendo después mis labios, las yemas de mis dedos, chupando la sal de la que han quedado impregnadas. Borracha de esterilidad espero a Jules, abandonada hasta de mi interior. Disuelta en esa aterradora visión, despojada de todo lo que no sea mi hambre por Jules, de su hambre por mis entrañas, con la que yo me alimento.

Este cuaderno desflorándose, va a decirme algo, algo que yo ya sé. En "Resolution" estoy condenada a extinguirme, a desaparecer. Todo se confunde. Las imágenes superpuestas de la mujer acabada que se fue, las escuálidas espaldas de la inmovilizada en el óleo, mi cuerpo casi inmaterial cosido a esa silla, mi mirada hueca hundida en el mar gris, estático, interminable, que me llama.

Cenamos a diario en este comedor. En silencio.

Esa noche una loca se metió en mí. Tomé el tenedor, el cuchillo y fui rasgando mi vestido, mi piel, mi ferocidad. Semidesnuda, herida, llorando lágrimas de aborrecimiento. Enervada por su cuerpo, por sus manos, por sus dientes. Descalza, me subí a la mesa, me paré frente a él, y empecé a contorsionar, entre caídas, un baile asesino, roto, sin ritmo, con un erotismo de estertores que mataba la belleza. Pisaba, indiferente, los vidrios de las copas rotas, el vino se mezclaba con mi sangre. A jalones arrancaba los prismas que colgaban del viejo y opaco quinqué, los escupía para luego arrojarlos, estrellándolos contra el pecho de Jules, contra su rostro impávido.

Alargó su mano y tomó un melocotón del frutero. De pie, aprisionándome de la nuca, lo aplastó entre mis dientes, lo mordí con avidez, como si fuera la carne de Jules, él, sin soltar mi cabeza, lo restregó contra mi cara, entre mi pelo. Rompiendo higos chumbos, prensados entre sus manos, untaba con su pulpa mi piel, los embarraba sobre mi cuerpo, entre mis harapos. Arañé mis muslos desnudos por los que corrían hilos finos de sangre con olor a pérsimos. Jules me fue preñando de uvas, de dátiles, mi vientre explotaba. Sin poder contenerme, tirada sobre la mesa, convulsioné por Jules, en náuseas. Jules me estudiaba, Jules espectador distante, salió del comedor. En él quedaba regado mi cuerpo inmundo, mi alma tumefacta, como los caóticos restos de un violento naufragio.

Me obligaba a desvanecerme, pero la tregua no llegaba. Mi mano desmayada sintió el filo del cuchillo con el que Jules había partido la carne. Ensangrentada y arrastrándome fui a buscar su corazón, sabiendo que sus últimos latidos serían mi muerte. Hundí el cuchillo en su cuerpo dormido. Jules se levantó. Tampoco esa noche había podido rozar su corazón, el hueco donde jamás estuvo.

Esperpento irreconocible, grabé con el cuchillo una "J" en mi vientre yermo.

Ayer Jules se fue. Desbarrancándome por el infierno, no sé de dónde saqué fuerza y casi siguiendo sus pasos abandoné la quinta. Una angustia asfixiante me dificultaba hasta mover los pies. Sin rumbo fijo, como bajo el efecto de una droga, deambulaba. La angustia ya intolerable aumentaba a cada paso que me alejaba de Jules. Sentía el terror de estar cometiendo una falta imperdonable, el terror de estar prófuga de mí misma. Mi verdadero yo se había quedado cautivo en "Resolution".

Súbitamente me encontré en la playa. Intenté ver el mar como es, lleno de vida, de azules que no son grises. Intenté recordar. Fue imposible, los sentidos que pudieron haber formado mi recuerdo están hechos jirones, inservibles para todo lo que no sea Jules. Dentro de mí, sólo sobreviven sus gemidos de placer, nuestras manos arrancándonos a zarpazos. Me detuve.

Vi a la mujer, sentada de espaldas en la playa, viendo el mar.

¿Cómo la pude haber olvidado durante estas semanas? Antes de entrar a "Resolution", la había visto varias veces, sin darle mayor importancia. Era la esposa de Jules. Supe, en ese momento, por qué me era tan familiar el óleo de Munch, ella repetía en su marasmo la escena del cuadro, lo único que restaba de sí misma, de su vida con Jules.

La esposa de Jules, "la loquita" como la llamaban en el pueblo, vivía en una casa abandonada junto al mar. Muy temprano, con mucha debilidad, arrastraba su silla a la playa, hasta la orilla misma del océano. Siempre llevaba consigo algo que parecía un desvencijado libro. Una inanición espiritual se había apoderado de ella, como un mal incurable. Desdibujada, se asemejaba a una casa abierta, a merced de la intemperie. Las olas mojaban sus pies y ella no estaba ahí.

Una imperiosa necesidad de ver su rostro desconocido, me devolvió la energía, que hacía cientos de días, de años, había perdido en "Resolution". Su rostro me iba a revelar el misterio, a darme la respuesta que, en ese momento supe, había yo ido a buscar a la playa.

Me adentré en el mar, que en esa parte era poco profundo, a escasos metros la miré de frente, sabiendo que ella nunca me vería. Quedé petrificada. El azul de sus ojos era tan pálido que parecían casi blancos, tenía la boca semiabierta, como si el peso de su corta quijada le fuera extenuante. Su cabello, muy escaso, estaba innecesariamente atado por un lazo viejo que daba la impresión de que iba a caer en cualquier momento. Nunca creí que pudiera continuar viva una mujer así. Telas informes la medio cubrían, con la misma tonalidad de la arena y de su persona.

El tiempo se había detenido también para mí: la observé como si se me mostrara la otra cara del cuadro de Munch, como si desde el océano pudiera ver el rostro, siempre oculto de aquella mujer. Mujer transparente, sin interior, doblada bajo el peso de un cansancio mortal, estancado en sus facciones de niña vieja.

Me acerqué. Cada paso que me aproximaba a ella iba mostrándome un delirio espeluznante. Su rostro era un espejo sucio en el que me reconocía con pavor. Traté de pensar en Jules y sus facciones se me borraban. Sin su imagen ya no había nada dentro de mí. No puedo decir que ya no lo deseara, sólo que ya no tenía con qué hacerlo. El sol se ponía; ella escribía con sus últimas luces, no era un libro, era un cuaderno deshojado. Escribía con prisa, como si temiera que su tiempo se acabara.

Salí del agua cayendo una y otra vez sobre la arena, que me parecía ceniza, que me volvía gris como toda la luz que me rodeaba. La marea subía. Sabiéndome muerta, jalaba con todas mis fuerzas la silla hacia la casa, metros que se me hicieron eternos; me dejé caer sobre el catre desvencijado, mientras que por un vidrio roto la veía alejarse, subir por el camino. Se iba sin una lágrima, sin un adiós. Al partir no dejaba nada de sí misma, ni siquiera su recuerdo. Subía lenta, cansada, con su viejo cuaderno deslizándose entre sus dedos. Acudía al llamado de Jules.

ÍNDICE

LA YEGUA DE LA NOCHE
SE IMPRIMIÓ EN LOS TALLERES DE
NATIONAL PRINT, S.A. DE C.V.
SAN ANDRÉS ATOTO No. 12
NAUCALPAN DE JUÁREZ
EDO. DE MÉXICO.
SE TIRARON 2 000 EJEMPLARES
Y SOBRANTES PARA REPOSICIÓN

IMPRESO Y HECHO EN MÉXICO
PRINTED AND MADE IN MEXICO